Paid â gofyn i Alys

addasiad Eleri Huws o
Don't ask Alice, Judi Curtin

Darluniau gan Woody Fox

Gwasg Carreg Gwalch

Cyhoeddwyd yn wreiddiol gan Wasg O'Brien Cyf., Dulyn, Iwerddon: 2007
Teitl gwreiddiol: *Don't ask Alice*

Cynllun clawr: Nicola Colton
Cyhoeddwyd yn Gymraeg drwy gytundeb â Gwasg O'Brien Cyf.

Cyhoeddwyd yn Gymraeg gan Wasg Carreg Gwalch 2018
Addasiad: Eleri Huws

Rhif Llyfr Safonol Rhyngwladol:
978-1-84527-641-6

Cyhoeddwyd gyda chymorth Cyngor Llyfrau Cymru

Dylunio'r clawr Cymraeg: Eleri Owen

Cyhoeddwyd gan Wasg Carreg Gwalch,
12 Iard yr Orsaf, Llanrwst, Dyffryn Conwy, Cymru LL26 0EH.
Ffôn: 01492 642031
e-bost: llyfrau@carreg-gwalch.cymru
lle ar y we: www.carreg-gwalch.cymru

Argraffwyd a chyhoeddwyd yng Nghymru

Cyflwynedig i

Dan, Brian, Ellen ac Annie

Pennod 1

'Ych a fi! Beth yw'r drewdod ofnadwy 'na?' gofynnais wrth gerdded i mewn i'r gegin i gael brecwast.

'Dwi wedi llosgi'r uwd, yn anffodus,' atebodd Mam. 'Ro'n i'n gwrando ar y radio – rhaglen ddiddorol iawn am yr amgylchedd.'

'Paid â becso,' dywedais wrthi. 'Galla i brynu rholyn selsig twym yn y siop ar fy ffordd i'r ysgol.'

Edrychodd Mam arna i fel taswn i wedi bygwth lladd rhywun.

'Paid â siarad dwli, Megan,' meddai. 'Oes gen

ti *unrhyw* syniad beth sy'n mynd i mewn i'r sothach 'na?'

'Ym . . . selsig, falle?' awgrymais yn sychlyd.

'Paid â bod mor ddigywilydd! Wna i ddim dechrau esbonio nawr – bydd yn cymryd gormod o amser. Fydda i ddim chwinciad yn gwneud rhagor o uwd i ti.'

Eisteddais wrth y bwrdd yn tapio fy llwy'n ddiamynedd tra bod Mam yn cymysgu ceirch, llaeth a dŵr mewn sosban lân.

'Byddai'n llawer haws i ti wneud uwd yn y meicrodon,' awgrymais. 'Dyw e ond yn cymryd rhyw funud neu ddau, a does dim modd i ti ei losgi.'

Chymerodd Mam ddim sylw o gwbl, gan ddal i droi'r uwd â llwy bren.

'O, anghofiais i,' ychwanegais. 'Alli di ddim gwneud hynny – ni yw'r unig bobl yng Nghymru gyfan sy heb ffwrn feicrodon.'

Trodd Mam ata i, ei llygaid yn fflachio.

O-o! meddyliais, *dwi wedi'i gwneud hi nawr*!

Ac ro'n i'n iawn – dechreuodd Mam ar ei phregeth arferol ynghylch effaith ffwrn feicrodon ar ymennydd pobl. Doedd dim taten o ots gen i, a bod yn onest, cyn belled â 'mod i'n cael brecwast a dianc o'r lle 'ma.

Yn y diwedd, doedd gen i ddim dewis ond cytuno gyda Mam, jest i gau'i cheg hi.

'Fe fyddi di'n diolch i mi rhyw ddiwrnod,' meddai Mam wrth osod y bowlen o uwd o 'mlaen i.

Hmmm . . . meddyliais, ond ddywedais i 'run gair, dim ond gwenu'n glên a dechrau bwyta. Aeth Mam at y sinc i grafu gweddillion yr uwd drewllyd oddi ar waelod y sosban.

Bwytais mor gyflym nes llosgi fy nhafod. Neidiais ar fy nhraed, cydio yn fy mag a'r bocs bwyd, rhoi sws i Mam, a rhuthro drwy'r drws cyn iddi hi sylweddoli beth oedd yn digwydd.

* * *

I rai pobl, roedd hwn yn union fel unrhyw ddiwrnod arall. Y diwrnod cyntaf yn yr ysgol ar ôl gwyliau'r Pasg – ac ro'n innau ar fy ffordd i alw ar Alys, fy ffrind gorau, er mwyn i ni gerdded i'r ysgol gyda'n gilydd.

Beth sy mor arbennig am gerdded i'r ysgol gyda'ch ffrind gorau, meddech chi?

Wel, i mi, roedd e *yn* achlysur arbennig. Yn achlysur arbennig iawn, iawn.

Roedd Alys, welwch chi, wedi bod i ffwrdd

ers mis Medi. Bryd hynny, roedd hi a'i mam a'i brawd bach, Jac, wedi symud i fyw i Gaerdydd. Am saith mis hir, diddiwedd, ro'n i wedi gorfod cerddded i'r ysgol ar ben fy hun. A nawr, roedd Alys wedi symud yn ôl i Aberystwyth i fyw – ac ro'n i mor gyffrous nes 'mod i'n cael trafferth i anadlu'n iawn!

Diolch byth, doedd gen i ddim ffordd bell i gerdded. Roedd Alys wedi aros dros nos gyda'i thad, ac roedd e'n dal i fyw drws nesa i mi. Byddwn wedi cael trafferth cerdded cyn belled â fflat ei mam.

Curais ar y drws, a hwyliodd Alys allan yn jocôs reit, fel petai heddiw fel pob diwrnod arall.

'Hwyl, Dad,' galwodd. 'Gobeithio gei di ddiwrnod da yn y gwaith.'

'Hwyl i ti, bach,' galwodd yntau o'r gegin.

Caeodd Alys y drws ar ei hôl a cherddded yn araf i lawr y llwybr. Sefais yn gegrwth gan syllu arni'n mynd. Yn sydyn, stopiodd yn stond, troi yn ei hunfan, a rhuthro'n ôl ata i gan roi clamp o gwtsh i mi.

'Dwi'n ffaelu credu'r peth,' meddai. 'Mae'n grêt cael bod yn ôl!'

Fedrwn i ddim peidio â chwerthin. Ro'n i'n gwybod bod Alys wedi fy ngholli i – ond doedd ganddi hi ddim syniad faint ro'n *i* wedi'i cholli *hi*!

Nawr bod Alys yn ei hôl, roedd popeth yn mynd i fod yn berffaith.

Yn union fel roedd e cyn iddi hi symud i ffwrdd.

Pennod 2

Roedd Gwawr a Lois, ein ffrindiau, yn aros amdanon ni ar gae chwarae'r ysgol. Ar ôl i ni roi cwtshys i'n gilydd, aethon ni fraich ym mraich i gornel dawel i sôn am beth fuon ni'n wneud yn ystod y gwyliau. Mae rhieni Gwawr yn gyfoethog iawn, felly roedd hi wedi bod yn Lanzarote, tra bod Lois wedi aros gyda'i chyfnither yn Llandudno.

Digon tawedog o'n i. Ro'n i wedi treulio'r rhan fwyaf o'r gwyliau'n helpu Mam yn yr ardd. Fyddai fy ffrindiau'n edrych arna i'n llawn edmygedd taswn i'n dweud, 'Wel, fe fues i'n plannu chwe rhes o foron, deg rhes o fresych, a channoedd o resi o bannas drewllyd'?

Na, dwi ddim yn credu, rhywsut.

Felly caeais fy ngheg, a sylwodd neb 'mod i heb gyfrannu at y sgwrs.

Ymhen sbel, sibrydodd Lois, 'Peidiwch ag edrych nawr, ond dyfalwch pwy sy newydd gerdded i mewn drwy'r giât?'

Doedd dim angen i mi edrych. Doedd ond un ferch yn yr ysgol i gyd roedden ni'n ei chasáu – a Mirain Mai oedd honno, y ferch waethaf yn y byd i gyd yn grwn. Roedd Gwawr a Lois yn arfer bod yn ffrindiau mawr gyda hi, ond fe welson nhw drwyddi yn y diwedd. Erbyn hyn, roedd yn rhaid i Mirain Mai – y ferch brydferth, bryd golau, ond hollol erchyll – wneud y tro gyda dim ond pedair o ferched oedd yn meddwl bod yr haul yn disgleirio allan ohoni.

Trois i edrych wrth iddi hi gerdded fel model ar draws iard yr ysgol. Gwisgai siaced ddenim newydd, hynod cŵl, a thaflai ei gwallt yn ôl fel rhywun yn hysbysebu siampŵ ar y teledu. Roedd ei phedair ffrind agos yn hofran o'i chwmpas fel pilipalod cyffrous.

'Dyw hi'n newid dim,' chwarddodd Alys. 'Dwi'n siŵr ei bod yn edrych 'mlaen at fy ngweld i eto. Beth ddwedodd hi pan glywodd 'mod i'n dod yn ôl yma?'

Edrychodd Gwawr, Lois a fi ar ein gilydd gan wenu. O, roedd hyn yn mynd i fod yn hwyl!

'Ymm . . . dy'n ni ddim wedi sôn gair wrthi,' cyfaddefais.

'Roedden ni'n awyddus i roi syrpréis iddi hi,' ychwanegodd Lois.

Gan wenu'n slei, aeth Alys i sefyll y tu ôl i Gwawr, y dalaf o'r pedair ohonon ni. Ro'n i'n edrych 'mlaen at weld beth fyddai'n digwydd. Alys oedd yr unig un oedd erioed wedi llwyddo i sefyll i fyny Mirain Mai a'i hantics – a doedd hi *ddim* yn mynd i fod yn falch o weld Alys eto.

Roedd Mirain Mai'n dod yn nes ac yn nes. Syllodd ar Lois i ddechrau.

'Chlywaist ti erioed am declyn sythu gwallt?' gofynnodd yn ffroenuchel.

Roedd hynna'n beth creulon i'w ddweud, gan fod Lois yn casáu ei gwallt cyrliog. Cochodd at ei chlustiau, ond cyn iddi allu dweud gair trodd Mirain Mai ata i.

‘O, helô Megan. Gest ti wyliau da? Neu fuost ti a dy fam – honno sy’n gwisgo dillad cŵl, *ffasiynol*, bob amser – yn treulio’r amser yn achub y byd ar ran y gweddill ohonon ni?’

Chwarddodd ffrindiau Mirain Mai fel tasen nhw newydd glywed y jôc orau erioed.

Fel arfer, dwi’n teimlo’n grac iawn pan mae Mirain Mai’n gwneud hwyl am ben Mam, ond y tro hwn do’n i’n becso dim. Anwybyddais i hi’n llwyr.

A’r funud honno, camodd Alys allan o’r tu ôl i Gwawr.

‘Haia Mirain,’ meddai. ‘Mae’n *grêt* dy weld di eto. Beth fuost ti’n wneud dros wyliau’r Pasg? Pigo ar bobl, efallai? Cicio hen fenywod? Neu ddwyn losin oddi ar blant bach?’

Roedd wyneb Mirain Mai yn bictiwr.

‘Alys?’ sibrydodd, fel cymeriad mewn ffilm sy newydd weld y person sy wedi bygwth ei ladd.

‘Ie, ti’n berffaith gywir – fi sy ’ma,’ atebodd Alys, yn wên o glust i glust.

Roedd wyneb Mirain Mai yn wyn fel y galchen. ‘Be . . . be . . . wyt ti’n wneud yma?’ sibrydodd.

‘’Run fath â ti, siŵr o fod,’ atebodd Alys. ‘Dwi yma i gael addysg.’

'Ond . . . ond . . .'

Dechreuodd Gwawr, Lois a fi chwerthin fel ffyliaid. Roedd Mirain Mai wastad mor cŵl a hyderus – roedd yn grêt ei gweld yn baglu dros ei geiriau am unwaith!

Rhoddodd gynnig arall arni. 'Ond . . . pam . . . wyt ti yma? Ro'n i'n meddwl dy fod ti'n byw yng Nghaerdydd?'

'Wel do, fe es i i Gaerdydd i fyw am sbel – ond roedd gen i gymaint o hiraeth amdanat ti fel 'mod i wedi penderfynu dod yn ôl!'

'O, 'na fe 'te . . . popeth yn iawn. Jest yma ar ymweliad wyt ti, ife?'

'Hmm,' atebodd Alys, gan oedi am eiliad. 'Ie, mewn ffordd. Ond fe fydd e'n ymweliad hir iawn . . . dwi'n bwriadu aros yn Aberystwyth am weddill fy mywyd!'

O'r olwg ar wyneb Mirain Mai, ro'n i'n ofni ei bod ar fin chwydu dros ei sandalau pinc ffansi. Diolch byth, yr eiliad honno canodd cloch yr ysgol, ac i ffwrdd â ni i'r neuadd ar ras.

Nawr bod Alys yn ei hôl, roedd yr ysgol yn mynd i fod yn hwyl unwaith eto. Ro'n i'n edrych 'mlaen.

Pennod 3

Roedd yr wythnosau nesaf yn grêt. Ambell fore ro'n i'n galw am Alys yng nghartref ei thad, a bryd arall yn mynd rownd y gorncl i fflat ei mam. Roedd yn deimlad rhyfedd ar y dechrau, ond buan y dois i arfer ac roedd yn anodd cofio adeg pan oedd y teulu i gyd yn byw dan yr un to.

Roedd y dosbarth i gyd yn paratoi ar gyfer cisteddfod yr ysgol, ac roedd hynny'n hwyl achos doedden ni ddim yn gwneud rhyw lawer o waith. Bron bob dydd fe fydden ni'n mynd i'r neuadd i ymarfer y côr a'r parti merched, neu i'r gampfa i ymarfer ar gyfer y gwahanol gystadlaethau dawnsio.

Bob amser cinio, roedden ni'n dod at ein gilydd i drafod beth i'w wisgo – a phawb yn benderfynol taw gwisgoedd eu tîm nhw fyddai'r mwyaf lliwgar a'r mwyaf trawiadol.

Er taw fi oedd yn cynrychioli Tŷ Rheidol yn y dawnsio disgo unigol, do'n i ddim yn dweud llawer yn ystod y sgyrsiau hyn. Dwi *byth* yn cael dillad newydd, cŵl. Tasai Mam yn cael ei ffordd, byddai'n gwau gwisg i mi allan o wlân rhyw hen siwmper dyllog, a glynu cwpwl o secwins arni i wneud iddi edrych yn fwy sgleiniog. Bob tro ro'n i'n sôn am y wisg wrth Mam, yr un ateb gawn i bob tro, sef 'Paid â ffysan, wir! Y dawnsio sy'n bwysig, nid pa fath o wisg sy gen ti!'

Yn wahanol i bawb arall, do'n i ddim yn edrych 'mlaen o gwbl at yr eisteddfod. Gallwn ddychmygu'r olwg ar wyneb Mirain Mai wrth i mi gerdded allan o'r stafell newid yn fy ngwisg drychinebus, a chlywed pawb yn piffian chwerthin . . .

Felly, un bore Sadwrn, fe godais yn gynnar iawn a gwneud y gwaith tŷ cyn i Mam a Dad godi. Es ati wedyn i baratoi brecwast iddyn nhw, a'i gario i'w stafell wely ar hambwrdd.

'Wel wir, dyna syrpréis hyfryd!' meddai Dad wrth agor y drws i mi. ''Drycha pwy sy 'ma, Hafwen – dwi ddim yn cofio pryd oedd y tro diwetha i ni gael brecwast yn y gwely! Mae hyn fel bod ar wyliau mewn gwesty crand!'

Wrth i mi gario'r hambwrdd yn ofalus tuag at y bwrdd bach ar ochr Mam o'r gwely, bu bron i mi faglu wrth glywed llais bach yn gweiddi 'Bw!' Cododd pen cyrliog Seren o dan y dwfe lle roedd hi wedi bod yn cuddio.

'Brecwath i Theren hefyd?' gofynnodd yn wên o glust i glust.

'Mae 'na ddigon o sudd oren a thost a jam yma i bawb,' meddai Mam. 'Diolch i ti, Meg – annisgwyl iawn!'

Eisteddais ar erchwyn y gwely tra oedd pawb yn mwynhau eu brecwast, gan wneud fy ngorau glas i beidio edrych yn nerfus. Ond roedd Dad wedi gweld yr olwg ar fy wyneb – dyw e'n colli dim!

'Gwell i ti ddweud y cyfan, Megan,' meddai. 'Dwi'n gweld dy fod ti ar bigau'r drain. Beth sy ar dy feddwl di, bach?'

Llyncais yn galed. 'Plis, plis, plis, Mam, gawn ni fynd i brynu gwisg ar gyfer y dawnsio disgo heddiw?' ymbiliais. 'Mae'r ddwy arall sy'n cystadlu wedi cael eu gwisg nhw, ac os na cha i rywbeth yn fuan fydd Miss Morgan ddim yn fodlon i mi gynrychioli Tŷ Rheidol. Bydd pawb yn chwerthin am fy mhen i!'

Cododd Mam ar ei heistedd yn y gwely. 'Twt lol, Megan!' meddai. 'Dwi wedi dweud a dweud – dyw pwy bynnag sy'n dy feirniadu di oherwydd dy ddillad ddim yn haeddu bod yn ffrind i ti.'

'*Plis*, Mam . . .' Erbyn hyn, roedd fy llygaid yn llenwi â dagrau.

'A dweud y gwir,' meddai Mam, 'ro'n i wedi bwriadu treulio'r diwrnod yn clirio'r sied. Ro'n i wedi meddwl y baset ti'n . . .'

'Dere nawr, Hafwen,' meddai Dad. 'Mae Megan yn dda iawn am wneud ei siâr o waith tŷ – ond heddiw mae hithau'n haeddu trît bach. Pam nad ewch chi'ch dwy i'r dre i chwilio am wisg iddi hi, ac fe a' i â Seren i'r parc.'

'Parc! Ieee!' gwaeddodd Seren, gan neidio ar ei thraed yn y gwely a thasgu'r briwsion tost i bobman.

Chwarddodd pawb – yn enwedig fi!

* * *

Ymhen rhyw awr roedd Mam a fi'n cerdded i

lawr rhiw Penglais, ac yn troi i mewn am Ganolfan y Celfyddydau. Ro'n i'n gwybod bod 'na siop arbennig yn y fan honno oedd yn gwerthu dillad dawns o bob lliw a llun. Doedd gan Mam druan ddim syniad beth oedd o'i blaen hi – doedd hi erioed wedi sylwi ar y lle!

Wrth i ni gerdded i fyny'r grisiau llydan o'r fynedfa, roedd Mam a fi'n sgwrsio'n hapus, ond pan gyrhaeddon ni'r llawr cyntaf, stopiodd Mam yn stond a syllu ar y ffenest liwgar o'i blaen.

'Ife hon yw'r siop?' holodd. 'Welais i erioed y fath beth yn fy myw! Jiw, mae rhai o'r gwisgoedd 'ma'n llai na macyn boced! A'r fath liwiau llachar! Ych a fi!'

'Dere, Mam,' dywedais, gan afael yn ei llaw a'i harwain at ddrws y siop. 'Dwi'n gwybod yn union pa fath o wisg dwi'n chwilio amdani.'

Cerddodd Mam i mewn ac anelu'n syth at y rheilen oedd ag arwydd mawr SÊL! uwch ei phen. 'Gawn ni rywbeth fan hyn,' meddai gan dwrio ymhlith y dillad. 'Dwi ddim yn bwriadu talu ffortiwn am ryw damed bach o ddefnydd. Gallen i wneud gwisg i ti – mae gen i ddigon o hen lenni yn y tŷ.'

'Ond Mam,' protestiais, 'mae Miss Morgan wedi dweud bod raid i ni gael gwisg yn lliw ein

Tŷ. Coch yw lliw Tŷ Rheidol, felly rhaid i mi wisgo leotard coch a sgert fach drosto . . .'

'Beth yn y byd yw leotard?' holodd Mam yn syn.

Diolch byth, yr eiliad honno daeth perchennog y siop draw ac esboniais beth ro'n i'n chwilio amdano. 'Dim problem,' meddai, 'mae gen i yr union beth yn dy faint di. Coch ddywedaist ti, ontefe?'

'OOO!' llefais pan roddodd dair gwisg ar y cownter o 'mlaen. Do'n i erioed o'r blaen wedi cael cyfle i wisgo rhywbeth mor bert. Ro'n i'n gwybod yn syth pa un i'w dewis – leotard coch llachar, yn secwins i gyd, a sgert gwta o'r un lliw i fynd drosti.

'Hoffet ti ei thrio 'mlaen?' gofynnodd y ferch.

Er bod Mam yn gwgu wrth i mi ddiflannu i'r stafell wisgo, pan ddois i mas roedd ei hwyneb yn bictiwr!

'Wel wir, Megan,' meddai, 'rhaid i mi gyfadde dy fod ti'n edrych yn bert iawn! Ac er 'mod i'n gweld y pris yn afresymol o ddrud am wisg fach mor sgimpi, alla i ddim gadael i ti fynd ar y llwyfan yn edrych yn wahanol i bawb arall.'

BETH?! O'n i'n clywed yn iawn – neu'n dychmygu'r cyfan? Ond na, wrth i mi newid yn ôl i 'nillad bob dydd, gallwn glywed Mam yn siarad gyda'r ferch ac yn rhoi ei cherdyn banc iddi hi.

Wrth i'r ferch lapio'r wisg mewn papur tisw a'i rhoi mewn bag bach ffansi, rhoddais glamp o gwtsh i Mam. 'Diolch, Mam! Fe wna i fy ngorau glas yn yr eisteddfod – gobeithio y byddi di, Dad a Seren yn gallu dod i 'ngwylio i. Mae rhieni'n cael dod, a dwi'n gwybod y bydd rhieni Alys yno . . .'

Ond wrth i mi ddweud y geiriau hyn, meddyliais yn sydyn, *O na! Beth yn y byd fydd Mam yn ei wisgo? Bydd pawb arall fel pìn mewn papur . . !*

Roedd Dad a Seren adre o'n blaenau, wedi cael hwyl fawr yn y parc. Wrth gwrs, fedrwn i ddim aros i ddangos fy ngwisg newydd iddyn nhw, a dyna pryd y clywais fod Mam wedi llwyddo i berswadio'r ferch yn y siop i roi gostyngiad o 20% oddi ar y pris! Diolch byth nad o'n i'n gwybod hynny ar y pryd – y fath embaras!

Dros ginio, dechreuais siarad am yr eisteddfod. 'Oes gobaith i ti gael pnawn bant o'r gwaith, Dad, er mwyn dod i 'ngweld i'n dawnsio?' holais. 'Mae Mam a Seren yn dod, a rhieni Alys hefyd. A galli di fod yn siŵr y bydd teulu Mirain Mai yno . . .'

'Wel, mae'n siŵr y galla i,' atebodd Dad. 'Faswn i ddim yn hoffi colli'r cyfle i weld fy merch yn ei dillad newydd, crand! Fe holaf y bòs fore Llun a gadael i ti wybod.'

'Ymm, Mam . . .' dechreuais, 'wyt ti am brynu rhywbeth newydd i'w wisgo?'

Dechreuodd Mam chwerthin fel ffŵl, fel taswn i newydd ddweud y jôc orau yn y byd.

'Pam yn y byd baswn i'n gwneud hynny?' holodd. 'Mae gen i lond wardrob o ddillad lan staer!'

Oes, Mam, meddyliais. *Llond wardrob o ddillad hyll, henffasiwn – mewn amgueddfa y dylen nhw fod!*

'A dweud y gwir,' aeth yn ei blaen, 'taswn i'n gweithio'n galed, fe allwn i orffen y siwmper newydd dwi wrthi'n ei gwau. Fe fyddai honno'n grêt ar gyfer yr eisteddfod.'

Suddodd fy nghalon. Roedd y siwmper – un anferth, flewog, gwbl ddi-siâp – wedi bod ar y gweill ers tua dwy flynedd. I arbed prynu edafedd newydd, roedd Mam yn defnyddio'r edafedd o hen siwmperi roedd hi'n eu prynu am ychydig geiniogau yn y siopau elusen, ac yn cyfuno'r cyfan mewn un dilledyn hyll, amryliw.

Os yw Mam yn bwriadu gwisgo'r siwmper i ddod i'r eisteddfod, meddyliais, *man a man i mi adael yr ysgol nawr rhag i mi farw o embaras!*

'Dwi'n gwybod y bydd dy siwmper di'n sbesial,' dywedais yn ofalus, 'ond pam na wnei di brynu rhywbeth newydd? Rwyt ti'n ei haeddu fe – dwyt ti byth yn gwario arnat ti dy hun.'

'Dwi'n cytuno gyda Megan,' meddai Dad. 'Mae'r merched yn y gwaith yn dweud bod 'na bethau hyfryd yn y siop fawr sy newydd agor yng Nghoedlan y Parc.'

'Feddylia i am y peth,' atebodd Mam. 'Mae gen i edafedd melyn pert i orffen y llawes chwith heno – a falle gallwn i ddefnyddio'r edafedd brown hefyd . . . Ac os bydda i'n gwario arna i fy hun, gwell gen i gael pâr newydd o fenig garddio.'

Beth wnes i i haeddu'r fath fam? meddyliais. *Bydd angen gwyrth i'w pherswadio hi i brynu dillad newydd. Mae fy mywyd i ar fin dod i ben . . .*

* * *

Chredwch chi byth, ond ychydig ddyddiau'n ddiweddarach, digwyddodd y wyrth ro'n i wedi gobeithio amdani!

Cyrhaeddodd Dad adre o'r gwaith y diwrnod hwnnw, yn wên o glust i glust ac yn chwifio amlen yn ei law.

'O'r diwedd!' llefodd. 'Am y tro cyntaf mewn ugain mlynedd, y fi enillodd y wobr gyntaf yn raffl y gwaith heddiw!'

Ceisiodd Mam gipio'r amlen o'i law – mae hi wrth ei bodd yn cael rhywbeth yn rhad ac am ddim!

'Beth yw e, Gareth?' gofynnodd yn ddiamynedd. 'Wyt ti wedi ennill y sachaid o goed tân? Neu'r penwythnos o hyfforddiant garddio? Byddai honno'n wobr werth chweil!'

'Na, dim byd felly,' atebodd Dad. 'Dwi wedi ennill tocyn anrheg i'w wario yn y siop newydd 'na roedden ni'n sôn amdani y dydd o'r blaen!' Agorodd yr amlen a thynnu'r tocyn allan ohoni. 'Waw!' ebychodd. 'Mae'n werth dau gan punt!'

'Dau gan punt i'w gwario ar ddillad?' ebychodd Mam. 'Mae hynna'n warthus! Allwn i ddim gwario gymaint â hynna mewn ugain mlynedd!'

Roedd hi'n dweud y gwir. Mewn siopau elusen mae Mam yn prynu'r rhan fwyaf o'i dillad. Roedd hi hyd yn oed wedi priodi mewn hen ffrog wedi'i benthyca gan ffrind ei mam-gu.

Pam, o pam, na allai hi fod yn debyg i Lisa, mam Alys? Mae honno'n gallu gwario dau gan punt mewn un awr ginio!

''Drycha,' dywedais wrth Mam, 'rhaid gwario'r tocyn o fewn tri mis. Man a man i ti ei ddefnyddio i brynu rhywbeth i'w wisgo yn yr eisteddfod.'

'Ond beth am fy siwmper newydd i?'

Sylwodd Dad ar yr olwg ar fy wyneb. Winciodd arna i, a gafael yn gariadus yn Mam.

'Fe fydd neuadd yr ysgol yn llawn dop, Hafwen fach, ac yn annioddefol o dwym. Pam na gadwi di dy siwmper arbennig tan y Nadolig? Bydd yn rhywbeth i ti edrych 'mlaen ato.'

'Ti sy'n iawn, sbo,' atebodd Mam. 'A byddai'n wirion gwastraffu dy wobr arbennig di. Gaiff Megan a Seren ddod gyda fi i siopa.'

Rhedais draw at Dad a rhoi clamp o gwtsh iddo nes ei fod yn brwydro i anadlu!

* * *

Felly, y diwrnod wedyn, cerddodd y tair ohonon ni i mewn i'r siop fawr newydd.

'Ble yn y byd dwi'n dechrau chwilio?' llefodd Mam. 'Welais i erioed gymaint o ddillad yn fy myw!'

Wrth i ni gerdded o gwmpas, doedd gan Mam na fi fawr o glem beth i edrych amdano. Diolch byth, gwelodd un o'r staff ein bod yn crwydro'n ddiamcan. Daeth draw aton ni a gofyn yn glên, 'Alla i eich helpu chi?'

Eisteddodd Seren a fi y tu allan i'r stafelloedd gwisgo tra bod y ferch yn cario gwahanol ddilladau i mewn i Mam gael eu trio. Doedden ni ddim yn teimlo'n obeithiol o gwbl wrth glywed llais Mam yn dweud, 'Ych a fi! . . . Na, rhy ddrud . . . dwi ddim yn hoffi'r lliw . . . rhy fyr o lawer . . .'

Pan o'n i wedi anobeithio'n llwyr, agorwyd llenni'r stafell wisgo, a cherddodd menyw smart allan tuag aton ni. Gwisgai sgert a siaced o wyrdd golau, blows liwgar oddi tani, a sgarff ysgafn o gwmpas ei gwddw. Roedd hi hyd yn oed yn gwisgo sgidiau sodlau uchel . . .

'Waw! Mam!' llefais wrth sylweddoli o'r diwedd pwy oedd y fenyw smart. 'Ti'n edrych yn *ffantastig!*'

'Mami bert!' gwaeddodd Seren.

Gwenodd Mam – ac oedd wir, roedd hi *yn* edrych yn bert! 'Diolch yn fawr,' meddai wrth y ferch. 'Faswn i byth wedi dewis rhywbeth fel hyn heb eich help chi. Nawr 'te, gwell i mi wisgo fy hen ddyngarîs a thalu – cyn i mi newid fy meddwl ynghylch gwario cymaint o arian!'

A'r noson honno, am y tro cyntaf erioed, breuddwydiais 'mod i'n aelod o deulu cwbl normal.

Pennod 4

Codais yn gynnar ar fore eisteddfod yr ysgol gan fod Mam wedi cynnig plethu fy ngwallt ar gyfer y gystadleuaeth dawnsio disgo unigol.

'Dwi wedi gwneud diod arbennig i ti ei yfed gyda dy frecwast,' meddai wrth orffen trin fy ngwallt. 'Mae'n bwysig dy fod yn cael digon o fitaminau i roi egni i ti.'

Ro'n i ar bigau'r drain yn aros iddi baratoi'r uwd arferol i frecwast – a bu raid i mi yfed llond gwydryn o'i diod 'arbennig'. Nid dyna'r gair faswn i wedi'i ddewis i'w ddisgrifio, chwaith . . !

'Diolch, Mam!' galwais o'r diwedd wrth ddiflannu drwy'r drws. 'Wela i chi pnawn 'ma. Dwi'n edrych 'mlaen at dy weld di yn dy ddillad newydd!'

'Pob lwc i ti, bach! Gobeithio gei di ddiwrnod da.'

Roedd neuadd yr ysgol dan ei sang erbyn hanner awr wedi naw, a'r lle'n fôr o liw. Mewn gwahanol rannau o'r neuadd eisteddai Tŷ Ystwyth yn eu crysau-T glas, Tŷ Ceulan yn eu melyn, a ninnau – Tŷ Rheidol – yn ein coch llachar. Roedd y sŵn yn fyddarol!

‘Ys-twyth! Ys-twyth!’

‘Ceu-lan! Ceu-lan!’

‘Rhei-dol! Rhei-dol!’

O’r diwedd, cerddodd y Pennaeth ar y llwyfan. ‘Bore da, blant!’ taranodd. ‘Gawn ni ddistawrwydd, os gwelwch yn dda? Croeso i chi i gyd i’r eisteddfod. Nawr ’te – mae diwrnod prysur o’n blaenau. Fe fyddwn ni’n dechrau gyda chystadlaethau’r plant iau, ac yn mynd ymlaen at gystadlaethau Blwyddyn 6 yn y pnawn. Hoffwn estyn croeso arbennig i’r oedolion sy wedi ymuno â ni i gefnogi’r plant heddiw. Yn ystod yr egwyl ganol bore, ac ar ddiwedd y dydd, bydd croeso i chi ddod i’r ffreutur am baned a chacen. Wel, dyna ni am y tro – ymlaen â ni at y gystadleuaeth gyntaf, sef unawd i blant yr Adran Feithrin. Miss Llwyd, ddewch chi â’r plant i’r llwyfan, os gwelwch yn dda?’

A dyna sut y dechreuodd y diwrnod.

Erbyn amser cinio, ar ôl gweiddi’n groch i gefnogi pawb oedd yn cystadlu ar ran Tŷ Rheidol, ro’n i bron â cholli fy llais. Roedd Alys wedi bod yn gallach – wedi’r cwbl, roedd hi’n cystadlu ar yr unawd a’r llefaru yn y pnawn. Penderfynais y byddwn i, dros yr awr ginio, yn cadw’n dawel er mwyn arbed fy llais ar gyfer y parti unsain a'r côr. Ac roedd Mam, chwarae teg iddi hi, wedi rhoi digon o bethau yn fy mocs bwyd i wneud yn siŵr bod gen i ddigon o egni ar gyfer y ddawns disgo.

Wrth eistedd yn y neuadd ar ddechrau sesiwn y pnawn, ro'n i'n nerfus iawn, iawn. O gornel fy llygad, gwelais Mam, Dad a Seren yn cerdded i mewn – ac ro'n i'n teimlo *mor* browd o Mam! Roedd hyd yn oed Lisa, mam Alys – oedd yn eistedd yn yr un rhes â nhw – yn edrych yn ddigon cyffredin o'i chymharu! Yn ogystal â'i dillad newydd, roedd Mam hyd yn oed wedi cael trin ei gwallt. Roedd hi'n edrych yn *grêt!*

Sylwais fod Mirain Mai yn syllu'n gegagored ar Mam, ac am unwaith yn ei bywyd roedd hi'n methu meddwl am unrhyw beth cas a chreulon i'w ddweud! Roedd ei chwaer yn eistedd nesaf ati, yn gwisgo'r ffrog hyllaf welais i erioed – un hir, ddu, gyda chadwyn fetel drom o gwmpas ei gwddw. Rhwng y ffrog, y gadwyn a'r lipstig du, edrychai fel petai wedi dianc o ffilm am fampirod! A doedd ei mam fawr gwell, mewn siwt ffurfiol oedd yn gwneud iddi edrych fel tasai hi'n mynd i angladd.

Gallwn yn hawdd fod wedi gwneud hwyl am ben teulu Mirain Mai – wedi'r cwbl, ro'n i wedi dioddef digon dros y blynyddoedd – ond wnes i ddim. Penderfynais gadw fy holl egni i wneud yn siŵr 'mod i'n ei churo hi yn y ddawns disgo.

Fe gawson ni bnawn prysur a llwyddiannus. Enillodd Alys ar yr unawd a'r llefaru, a chafodd parti unsain Tŷ Rheidol yr ail wobr. Buan iawn daeth yr amser i mi fynd i newid ar gyfer y ddawns disgo, ac wrth i mi sefyll ar fy nhraed trodd Mam o gwmpas a chodi'i bawd arna i.

Tair ohonon ni oedd yn y gystadleuaeth – un o bob Tŷ – gyda Gwawr yn ei gwisg las yn cynrychioli Ystwyth, fi'n cynrychioli Rheidol, a Mirain Mai'n cynrychioli Ceulan. Er taw melyn oedd lliw ei Thŷ hi, doedd hynny ddim yn ddigon da i Mirain Mai, wrth gwrs. Roedd hi wedi mynd dros ben llestri wrth ddewis gwisg lliw aur, a honno'n secwins llachar drosti i gyd. Roedd ei gwallt wedi'i godi ar dop ei phen mewn rhyw steil cymhleth, a'i glymu â bwndel o rubanau aur a melyn. Mewn gair, roedd hi'n edrych yn *erchyll* – byddai'n gweddu'n well i glwb nos nag i neuadd ysgol!

Fi oedd y gyntaf ar y llwyfan, ac wrth glywed curiad cyffrous y gerddoriaeth anghofiais am bopeth arall a chanolbwyntio ar wneud fy ngorau glas. Ar y diwedd, gallwn glywed fy nghefnogwyr yn gweiddi 'Me-gan! Me-gan!' wrth i mi redeg i lawr y grisiau a diflannu i'r cefn i newid ar gyfer cystadleuaeth y côr. Do'n i ddim eisiau gweld y ddwy arall yn dawnsio!

'Roeddet ti'n *wych!*' sibrydodd Alys wrth i mi sleifio'n ôl i'r sedd nesaf ati hi. 'Dylet ti fod wedi gweld Mirain Mai – fe wnaeth hi gawl potsh o'i dawns, a baglu wrth redeg oddi ar y llwyfan! Ac am y steil gwallt 'na – wel, dylet ti fod wedi gweld y siâp oedd arno fe erbyn y diwedd!' meddai dan chwerthin.

Ond wnes i ddim chwerthin gyda hi. Am eiliad, ro'n i'n teimlo trueni dros Mirain Mai . . .

Erbyn hyn, gallwn ymlacio a mwynhau gweddill y pnawn gan mai dim ond cystadleuaeth y côr oedd gen i ar ôl. Ro'n i fwy neu lai wedi anghofio am y dawnsio pan bwniodd Alys fi yn fy ochr a phwyntio at y llwyfan lle roedd y Pennaeth yn cyhoeddi rhai canlyniadau.

'Ac mae'r wobr gyntaf yn y ddawns disgo yn mynd i . . . Megan, yn cynrychioli Rheidol!' meddai. 'Yn yr ail safle mae Gwawr, gyda Mirain Mai yn drydydd. Rhowch gymeradwyaeth i'r tair ohonyn nhw!'

Gwthiodd Alys fi mas o'm sedd, ac wrth i mi

redeg at y llwyfan i dderbyn fy nhystysgrif, digwyddais weld, o gornel fy llygad, yr olwg gas ar wynebau mam a chwaer Mirain Mai.

Erbyn hynny roedd hi'n amser i'r corau ganu, ac roedden ni'n gwybod bod y marciau'n agos iawn rhwng y tri thŷ. Canodd Rheidol yn wych (yn fy marn i, ta beth!) ac wrth aros am *hydoedd* am y canlyniad, roedd Alys a fi ar bigau'r drain.

'Ym marn y beirniad,' cyhoeddodd y Pennaeth o'r diwedd, 'y côr buddugol yw côr . . . Rheidol! Ac mae hynny'n golygu taw Rheidol sydd hefyd yn ennill y darian am y marciau uchaf yn yr eisteddfod! Llongyfarchiadau mawr i chi! Nawr 'te, a ddaw capteiniaid Rheidol – Alys a Gwern – i'r llwyfan i dderbyn Tarian y Tai?'

Ffrwydrodd y neuadd yn fôr o sŵn – a finnau'n gweiddi'n uwch na neb! Am ddiweddglo hollol wych i'r diwrnod!

Ro'n i wedi trefnu i gwrdd â Mam a Dad a Seren yn y ffreutur, lle roedd staff y gegin wedi paratoi paned a chacen i bawb.

Pwy ddaeth i ymuno â ni ond Alys a'i rhieni a Jac, ei brawd bach.

'Wel, am ddiwrnod da gafodd y merched, ontefe?' meddai Lisa. 'Maen nhw wedi gweithio'n galed iawn, chwarae teg. Beth am i'r ddau deulu fynd mas i'r dre i gael pizza gyda'n gilydd i ddathlu?'

'Syniad da,' atebodd Mam braidd yn anfodlon.

Chwarae teg i Mam – ro'n i'n gwybod y byddai'n well o lawer ganddi hi fynd yn syth adref i goginio cyrri llysieuol a reis brown, gyda gwydraid o ddŵr tap i'w olchi i lawr!

Diolch byth, gawson ni amser rhyfeddol o dda gyda'n gilydd yn y bwyty pizza. Eisteddodd Alys a fi nesa at ein gilydd, gan sgwrsio'n ddi-stop am ein diwrnod a dweud ein barn yn ddiflewyn-ar-dafod am bawb! Roedd Jac, brawd Alys, yn fachgen bach hapus iawn ers iddyn nhw ddod yn ôl i Aberystwyth i fyw, a chafodd Seren ac yntau hwyl fawr yn lliwio lluniau gyda'i gilydd.

Eisteddodd y ddau dad gyda'i gilydd, yn siarad yn frwd am bêl-droed fel roedden nhw wastad wedi'i wneud! Doedd y sgwrs rhwng Mam a Lisa ddim yn llifo mor rhwydd – wedi'r cwbl, roedd eu diddordebau nhw'n hollol wahanol! Clywais Lisa'n dweud mor bert roedd Mam yn edrych yn ei dillad newydd, a chwarae teg iddi soniodd hi 'run gair am y bag lledr drudfawr roedd hi newydd ei brynu mewn siop grand yng Nghaerdydd!

Ar ddiwedd y pryd bwyd, safodd pawb y tu allan i'r bwyty i ffarwelio â'i gilydd. Roedd Lisa hyd yn oed wedi rhoi sws ar foch Gwyn cyn iddi fynd at y car gydag Alys a Jac.

Diolch byth, dywedais wrtha i fy hun. *Mae popeth i weld yn iawn nawr rhwng Lisa a Gwyn. Er eu bod nhw wedi gwahanu, maen nhw'n dod 'mlaen yn dda gyda'i gilydd ac mae pawb yn hapus.*

Falle y gallai Alys dderbyn nawr bod y berthynas rhwng ei rhieni wedi dod i ben, ac anghofio am ei holl gynlluniau hanner call a dwl. Gallen ni edrych 'mlaen at fwynhau ein ychydig wythnosau olaf ym Mlwyddyn 6.

Ond fe ddylwn i fod wedi gwybod yn well . . .

Pennod 5

Y bore wedyn daeth Alys draw i'n tŷ ni cyn i mi godi, hyd yn oed. Eisteddodd ar fy ngwely heb ddweud gair o'i phen. Dwi'n 'nabod Alys yn ddigon da i wybod taw dyna pryd mae angen becso.

'Popeth yn iawn?' mentrais ofyn.

'Ydy, sbo,' atebodd Alys yn anfodlon.

'Roedd ddoe yn ddiwrnod grêt, on'd oedd e?' dywedais.

'Oedd, sbo.'

'Roedd Mirain Mai wedi mynd dros ben llestri gyda'r wisg aur 'na, on'd oedd hi?'

'Oedd, sbo.'

'A'r steil gwallt twp 'na! Gwympodd y rubanau i gyd mas wrth iddi hi ddawnsio!'

'Do.'

Arhosais am sbel i weld a fyddai Alys yn dechrau siarad, ond wnaeth hi ddim. Gafaelais yn fy nillad a mynd i gael cawod. Pan ddois i'n ôl, roedd Alys yn dal i eistedd yn yr un fan yn union. Erbyn hyn, ro'n i'n dechrau becso amdani, felly ceisiais ddechrau sgwrs.

'Wyt ti'n cofio'r llynedd, pan oeddet ti'n cuddio yn y stafell 'ma er mwyn trio perswadio dy fam i ddod yn ôl i Aber i fyw?' dywedais. 'Gawson ni amser da, on'dofe? Mae'n anodd credu dy fod ti wedi llwyddo i aros yma am gymaint o amser . . .'

Nodiodd Alys ei phen, ond doedd dim golwg o'r wên arferol ar ei hwyneb.

Eisteddais wrth ei hochr a gafael yn ei braich. 'Dere, wir, Alys,' dywedais. 'Fi sy 'ma – Megan, dy ffrind gorau. Beth sy'n dy fecso di?'

Ochneidiodd Alys cyn dweud, mewn llais bach tawel, 'Mam a Dad.'

Doedd hynny ddim yn fy synnu i. Byth er pan roedd Lisa a Gwyn wedi gwahanu, roedd Alys wedi cael trafferth i dderbyn y sefyllfa. Hyd yn oed ar ôl i Lisa a'r plant ddod yn ôl i

Aberystwyth i fyw, doedd pethau ddim fel oedden nhw erstalwm.

'Beth amdanyn nhw?' holais.

'Wyt ti'n cofio fi'n dweud 'mod i'n gwybod na fyddan nhw byth yn dod yn ôl at ei gilydd eto?'

Nodiais. 'Ydw, dwi'n cofio . . .'

'Wel, dwi wedi newid fy meddwl. Erbyn hyn dwi'n credu falle y dylen nhw. Dyw e'n gwneud dim synnwyr o gwbl eu bod nhw'n byw ar wahân.'

Wrth i mi feddwl beth i'w ddweud wrthi, dechreuodd siarad eto. 'Roeddet ti yno ddoe – yn yr eisteddfod ac yn y lle pizza wedyn. Roedd y ddau'n amlwg yn ffrindiau mawr.'

Dyw hynny ddim yn gwbl wir, meddyliais. *Beth ddigwyddodd mewn gwirionedd oedd bod Lisa a Gwyn – am y tro cyntaf ers blynyddoedd – ddim yng ngyddfau'i gilydd ac yn cweryla'n ddi-stop.*

Allwn i ddim dweud hynny wrth Alys, wrth gwrs, felly cadwais fy ngheg ar gau.

Eisteddodd Alys yn ddistaw am ychydig funudau cyn neidio ar ei thraed fel tasai dim byd anghyffredin wedi digwydd.

'Dere,' meddai, 'awn ni i chwarae pêl-rwyd yn yr ardd. Fetia i taw fi fydd yn ennill!'

Codais oddi ar y gwely a'i dilyn mas i'r ardd

gan deimlo'n falch bod y foment annifyr wedi pasio heibio, a bod yr hen Alys yn ei hôl.

Ond, unwaith eto, fe ddylwn i fod wedi gwybod yn well . . .

Yr arwydd cyntaf fod pethau ddim fel y dylen nhw fod oedd taw fi enillodd y gystadleuaeth pêl-rwyd. Doedd hynny ddim wedi digwydd er pan oedd Alys a fi tua chwech oed, ac Alys yn chwarae ag un fraich mewn plastr! Y tro hwn, doedd calon Alys ddim yn y gêm, rhywsut, ac roedd hynny'n fy mecso i – mae hi fel arfer mor gystadleuol.

Aethon ni'n dwy i eistedd yn y tŷ bach twt yng ngwaelod yr ardd, ac yn sydyn cydiodd Alys yn dynn yn fy mraich. Edrychais arni, a gweld y sglein yn ei llygaid. Suddodd fy nghalon – mae'r sglein wastad yn arwydd o drwbwl . . .

'Beth?' holais, gan wneud fy ngorau glas i beidio ag edrych yn nerfus.

'Dwi'n credu ei bod yn hen bryd i Dad gael cariad,' meddai dan wenu'n llydan.

Helô? O ble daeth y syniad twp yma, tybed? Falle taw fi oedd heb ei chlywed yn iawn.

'Beth wedaist ti?' holais.

Mewn llais araf a chlir, dywedodd yr un geiriau eto.

Plethais fy mreichiau a syllu i mewn i'w llygaid. 'Alys Roberts,' dywedais, 'beth yn y byd sy'n bod arnat ti? Pan oeddet ti'n meddwl bod gan dy fam gariad yng Nghaerdydd, fe wnest ti golli dy limpin yn llwyr. Ac rwyt ti newydd ddweud y dylai dy rieni fynd yn ôl at ei gilydd. Pam yn y byd, felly, wyt ti'n credu y dylai dy dad gael cariad? Dyw e jest ddim yn gwneud synnwyr!'

'Rwyt ti'n ferch glyfar, Megan,' atebodd Alys gan wenu. 'Gweithia fe mas . . .'

Fe wnes fy ngorau, wir i chi. Meddyliais am bob math o resymau, ond doedd dim byd yn gwneud synnwyr. Yr unig beth oedd yn glir i mi oedd bod gan Alys ryw gynllun twp arall i fyny'i llawes – ac y byddwn i, fel arfer, yn cael fy nhynnu i mewn iddo yn erbyn fy ewyllys.

'Dwi'n rhoi lan,' dywedais o'r diwedd. 'Does gen i ddim syniad. Bydd raid i ti ddweud wrtha i – pam dylai dy dad gael cariad?'

'Achos byddai hynny'n gwneud Mam yn eiddigeddus,' atebodd, gan wenu'n slei.

Do'n i ddim yn deall . . .

'Fe wyddost ti sut un yw Dad,' aeth Alys yn ei blaen. 'Mae e wastad yma. Wastad ar gael. Mae e fel hen bâr o jîns – maen nhw'n teimlo'n gyfforddus, ond rwyt ti'n eu cymryd yn ganiataol. Tasai Dad yn cymryd diddordeb yn rhywun arall, falle byddai Mam yn cymryd mwy o sylw ohono fe – ac yn sylweddoli taw camgymeriad oedd ei adael yn y lle cyntaf.'

Rhoddais fy mhen yn fy nwylo a meddwl yn galed. Oedd, mewn rhyw ffordd ryfedd, roedd y cynllun yn gwneud synnwyr – ond do'n i ddim am gyfaddef hynny wrth Alys. Ceisiais swnio'n ddidaro wrth siarad.

'Hmm, ie . . . wel, hyd yn oed os yw hyn yn syniad da, o ble mae'r cariad newydd 'ma'n mynd i ddod? Dy'n nhw ddim yn tyfu ar goed, w'st ti – a fedri di mo'u prynu nhw oddi ar eBay chwaith!'

'Ha ha, doniol iawn,' atebodd Alys yn sychlyd. 'Wyddost ti be, Meg? Rwyt ti wastad yn gwneud i bopeth swnio'n anodd.'

'Mae hynny, Alys, oherwydd dy fod ti'n gwneud i bopeth swnio mor rhwydd!'

A gwenodd y ddwy ohonon ni ar ein gilydd. Falle bod gobaith i ni eto!

Y funud honno, galwodd Mam arnon ni. 'Megan! Alys! Dewch i mewn nawr. Dwi wedi gwneud diod arbennig i chi – sudd afal a moron.'

Tynnodd y ddwy ohonom wyneb a dechrau chwerthin. Ond doedd Alys ddim yn fy nhwyllo i – ro'n i'n gwybod yn iawn taw dim ond dechrau un o'i chynlluniau hanner pan oedd hyn!

Pennod 6

Pan alwais am Alys y bore wedyn, soniodd hi 'run gair am ei mam, ei thad, cariadon na chynlluniau cyfrinachol. Erbyn i ni gyrraedd yr ysgol, ro'n i'n dechrau ymlacio. Falle nad oedd pethau'n rhy wael wedi'r cwbl.

Falle bod Alys wedi magu tipyn o synnwyr cyffredin dros nos . . .

Falle y gallen ni dreulio'r wythnosau nesa'n mwynhau bywyd . . .

A falle, rhyw ddiwrnod, y byddai haid o foch streipiog porffor a melyn yn hedfan heibio ffenest fy stafell wely . . .

* * *

Amser cinio, a finnau'n edrych 'mlaen at gael sgwrsio gydag Alys, Gwawr a Lois, gafaelodd Alys yn fy mraich a 'nhynnu i i gornel o'r cae chwarae, ymhell oddi wrth bawb arall. Gwthiodd fi y tu ôl i'r shed lle roedden nhw'n cadw'r offer torri gwair, a dweud dau air mewn llais dramatig – 'Miss Morgan'.

'Yyy? Beth am Miss Morgan?' holais yn ddryslyd.

'Mae hi'n berffaith.'

Ddywedais i 'run gair. Ers pryd roedd gan Alys y fath ddiddordeb mewn athrawon?

'Wel?' meddai, gan fy mhwnio yn fy mraich. 'Beth wyt ti'n feddwl, Meg? Mae Miss Morgan yn hollol berffaith, on'd yw hi?'

'Mae hi'n iawn, sbo,' dywedais yn ddidaro, 'i feddwl taw athrawes yw hi. Ond faswn i ddim yn dweud ei bod hi'n berffaith, chwaith. Wyt ti'n cofio'r prawf mathemateg y dydd o'r blaen? Roedd hi wedi marcio dwy o'n symiau i'n anghywir, er eu bod nhw'n gywir. A chyn y Nadolig roedd hi'n gas gyda Gwawr dros rywbeth oedd yn ddim byd i'w wneud gyda hi . . .'

'Gwranda, wir, twpsyn,' meddai Alys gan dorri ar fy nhraws. 'Do'n i ddim yn dweud bod Miss Morgan yn berffaith fel *athrawes* – dweud o'n i y byddai hi'n berffaith fel cariad i Dad!'

Doedd dim angen i Alys droi arna i fel yna! Ond penderfynais beidio ateb yn ôl – roedd gen i bethau pwysicach ar fy meddwl.

'Ond mae Miss Morgan *yn* athrawes!' llefais.

'Ie, wel – beth sy'n bod ar hynny?' atebodd Alys. 'Mae athrawon yn bobl hefyd, cofia.'

Fedrwn i ddim credu'r hyn ro'n i'n ei glywed. 'Ond dy dad . . . a Miss Morgan . . . mae hynny'n . . . wel . . . mae'n syniad cwbl erchyll!'

'Nagyw ddim!' protestiodd Alys, gan blethu ei breichiau'n herfeiddiol. 'A beth bynnag, dwi ddim yn moyn iddyn nhw gwympo mewn cariad, na dim byd sopi felly. Dwi jest am iddyn nhw fynd mas ar ddêt unwaith neu ddwy – digon i Mam ddod i glywed am y peth a gwneud iddi fecso, gobeithio.'

Yn dawel bach, ro'n i'n dechrau gweld bod cynllun Alys yn gwneud synnwyr – ond do'n i ddim eisiau cyfaddef hynny.

'Ta beth, mae'n siŵr fod gan Miss Morgan gariad yn barod,' dywedais, i newid cyfeiriad y sgwrs.

'Na, dwi ddim yn credu,' meddai Alys. 'Os felly, fyddai hi ddim yn aros mor hwyr yn yr ysgol bob dydd. Byddai'n rhuthro adre i baratoi i fynd mas gydag e.'

Doedd gen i ddim syniad a oedd Alys yn iawn ai peidio. Wyddwn i ddim byd o hanes Miss Morgan. Ro'n i *yn* gwybod, fodd bynnag, y gallai pethau droi'n hyll iawn tasai Alys yn perswadio'i thad i fynd mas gyda'n hathrawes ni. A do'n i *ddim* eisiau bod o gwmpas pan fyddai hynny'n digwydd.

Chwarddodd Alys yn sydyn, a dweud, 'Dwi'n gwybod yn union beth wna i. Mae'n syml!'

Ochneidiais. Dyw Alys ddim yn gwybod beth yw ystyr y gair 'syml'.

'Dwi wedi penderfynu bod mor ddigywilydd yn y dosbarth pnawn 'ma fel bod Miss Morgan yn gorfod gofyn i Mam a Dad ddod i'w gweld hi. Ond bydda i'n trefnu taw dim ond Dad fydd yn dod, a . . .'

'. . . a bydd dy dad yn dweud,' torrais ar ei thraws, ' "Diolch yn fawr i chi am ddweud wrtha i taw fy merch yw'r plentyn mwyaf digywilydd i chi ei dysgu erioed . . . a gyda llaw, mae gennych chi lygaid pert, ac mae'r ffrog yna'n edrych yn hyfryd arnoch chi." Falle taw fi sy'n dwp, Al, ond rhywsut dwi ddim yn gweld hynna'n mynd i lawr yn dda.'

'Iawn, Miss Perffaith,' dywedodd Alys yn grac. 'Dyw e ddim yn gynllun gwych, dwi'n cyfadde. Oes gen ti rywbeth gwell i'w gynnig?'

Ochneidiais eto. Do'n i *ddim* yn awyddus i fod yn rhan o'r cynllun twp yma ond, ar y llaw arall, allwn i ddim gadael i Alys greu hafoc wrth fynd ymlaen ag e. Ro'n i wedi gweld drosof fy hun yng Nghaerdydd pa mor benderfynol roedd hi'n gallu bod – a byddai'r cynllun yma'n siŵr o'i thaflu dros ei phen a'i chlustiau i helynt mawr.

Fyddai Miss Morgan ddim yn gofyn i Gwyn a Lisa ddod i'w gweld, ta beth. Dyw hi byth yn gwneud hynny pan mae rhywun yn cambihafio. Ond gallai feddwl am gosb waeth –rhwystro Alys rhag dod i'r parti diwedd blwyddyn, er enghraifft. Byddai hynny'n ofnadwy!

Roedd Alys yn amlwg yn aros am ateb gen i. 'Wel?' meddai'n swta.

Ddywedais i 'run gair. Beth allwn i ddweud?

'Iawn,' meddai Alys. 'Mae gen ti bedair awr ar hugain i feddwl am ryw ffordd o gael Dad a Miss

Morgan at ei gilydd. Os na alli di feddwl am syniad gwell, bydda i'n mynd yn ôl at Gynllun A – ac yn gwneud rhywbeth gwirioneddol fentrus.'

O diar, meddyliais. *Sut galla i gael fy hun mas o'r cawlach yma?*'

Roedd hi'n sefyllfa wael. Jest fel roedd popeth yn mynd yn dda, roedd yn rhaid i Alys ddechrau cynllunio drygioni eto. Ro'n i'n teimlo trueni drosti – doedd gweld eich rhieni'n gwahanu ddim yn hwyl. Hoffwn weld Alys yn hapus eto, yn union fel roedd hi'n arfer bod.

Canodd y gloch i ddangos bod amser cinio ar ben, ac am unwaith ro'n i'n falch. Wrth i mi gerdded tuag at y stafell ddosbarth, rhedodd Alys ar fy ôl a chydio yn fy mraich.

'Pedair awr ar hugain, iawn?'

'Iawn,' atebais gan nodio'n araf.

Beth arall allwn i ei ddweud?

Pennod 7

Bedair awr ar hugain yn ddiweddarach, roedd Alys a fi'n ôl yn yr un gornel o'r cae chwarae, y tu ôl i'r un sied. Ro'n i'n teimlo fel cymeriad mewn hen ffilm wael.

'Wel,' meddai Alys. 'Gad i mi glywed beth yw dy gynllun mawr di.'

'Sut gwyddost ti fod gen i gynllun mawr?' holais.

'Dwi'n dy 'nabod di, Meg. Dwyt ti byth yn fy ngadael i lawr. Ti yw fy ffrind gorau i yn y byd i gyd.'

Ochneidiais. Weithiau, roedd bod yn ffrind gorau i Alys yn gyfrifoldeb mawr, ac yn waith caled. Do'n i prin wedi cysgu winc y noson cynt, gan droi a throsi wrth geisio meddwl am gynllun da. Yn y diwedd, meddyliais am rywbeth –

doedd e ddim yn wych, ond o leiaf roedd e'n well na chynllun hanner call a dwl Alys.

'Wel?' gofynnodd Alys yn ddiamynedd.

Ceisiais swnio'n hyderus. 'Meddwl wnes i am drip y dosbarth i'r Parc Bywyd Gwyllt yr wythnos nesa . . .'

'Ie? Beth amdano fe?'

'Wyt ti'n cofio Miss Morgan yn dweud y byddai'n hoffi cael help cwpwl o rieni ar y trip?'

Nodiodd Alys ei phen gan wenu'n llydan.

'Wel, beth am ofyn i dy dad ddod gyda ni?'

'Syniad gwych!' llefodd Alys gan roi clamp o gwtsh i mi. 'Gall Dad a Miss Morgan dreulio'r diwrnod gyda'i gilydd, a fydd neb ddim callach taw ni oedd wedi trefnu'r cyfan!'

Erbyn hyn, ro'n innau'n dechrau teimlo'n eitha cyffrous – ac yn llongyfarch fy hun yn ddistaw bach!

'Ac ar ddiwedd y dydd,' ychwanegais, 'pan fyddan nhw wedi dod yn ffrindiau, galli di ddweud wrth dy dad bod Miss Morgan yn ei ffansïo fe – a falle'i berswadio i ofyn iddi fynd mas am goffi neu rywbeth.'

'Diolch, Meg! Rwyt ti'n seren!' meddai Alys, gan roi cwtsh arall i mi. 'Gallwn ni ei berswadio i fynd â hi i rywle neis – ac fe wna i "ddigwydd" sôn wrth Mam. Bydd hi'n siŵr o deimlo'n eiddigeddus, a phenderfynu bod eu priodas yn werth ei hachub. Syml!'

Fedrwn i ddim rhannu brwdfrydedd Alys. Gyda hi, doedd dim byd byth yn syml. Y gorau allwn i obeithio amdano oedd na fyddai'r cynllun yn troi allan i fod yn drychineb.

* * *

Ar ddiwedd y pnawn, soniodd Miss Morgan am y trip. 'Cofiwch am y trip i'r Parc Bywyd Gwyllt ddydd Mawrth nesa. Nawr 'te, oes unrhyw un wedi gofyn i mam neu dad a fydden nhw'n hoffi dod gyda ni i helpu?'

Cododd Cadi ei llaw. 'Dwi wedi gofyn i Mam, Miss,' meddai.

Doedd Miss Morgan ddim yn edrych yn rhy hapus – ac ro'n i'n gwybod pam. Mae mam Cadi'n dod i'r ysgol byth a beunydd i gwyno am rywbeth neu'i gilydd a chreu trafferth.

'A beth ddwedodd hi, Cadi?' gofynnodd.

'Dwedodd y byddai'n well ganddi fwyta'i choes ei hun na mynd ar drip gyda chriw o blant swnllyd, Miss.'

Chwarddodd pawb heblaw Cadi. Druan

ohoni, doedd hi ddim hyd yn oed yn sylweddoli na ddylai neb fyth ailadrodd y math yna o beth o flaen yr athrawes.

Yn sydyn, cododd Alys ei llaw. 'Mae Dad yn dweud y byddai e'n fodlon dod, Miss,' meddai.

'Byddai hynny'n wych, Alys,' meddai Miss Morgan gan wenu.

'Wel, mae Dad wrth ei fodd gydag anifeiliaid, a bydde fe'n gallu dysgu lot fawr i ni.'

Ochneidiais. Pam, o pam, roedd yn rhaid i Alys wastad fynd dros ben llestri? Cyn belled ag y gwyddwn i, doedd ei thad yn gwybod y nesa peth i ddim am anifeiliaid – yn enwedig rhai gwyllt. Dros yr holl amser ro'n i wedi 'nabod y teulu, doedden nhw ddim hyd yn oed wedi cael pysgodyn aur fel anifail anwes. Ac un tro, pan ddaeth llygoden i mewn i'r gegin, neidiodd Gwyn ar ben y ford a sgrechian nes bod Alys wedi sgubo'r creadur mas drwy'r drws gyda brwsh llawr.

Edrychodd Miss Morgan o gwmpas y dosbarth. 'Oes unrhyw un arall yn meddwl y byddai eu rhieni'n hoffi dod gyda ni?'

Ro'n i'n gwybod yn iawn y byddai Mam – tasai hi'n clywed am y gwahoddiad – yn neidio at y cyfle. Ond byddai wedi mynd 'mlaen a 'mlaen yn ddiddiwedd am yr anifeiliaid, a'r effaith mae'r newid hinsawdd yn ei gael ar eu cynefinoedd, ac ati ac ati . . . Mewn gair, byddai'n embaras llwyr. Felly caeais fy ngheg a dweud dim.

* * *

Arhosodd Alys nes bod y ddwy ohonon ni yn nhŷ ei thad y noson honno cyn siarad ag e am y trip. Hen dric slei – doedd gen i ddim gronyn o awydd bod yno gyda hi.

Dewisodd ei moment pan oedd e wedi ymgolli mewn rhaglen ar y teledu.

'Dad?' meddai.

'Beth, bach?' atebodd, heb dynnu'i lygaid oddi ar y sgrin.

'Wyt ti'n credu y gallet ti gael diwrnod bant o'r gwaith ddydd Mawrth?'

'Dwn i ddim,' atebodd, gan ddal i syllu ar y teledu. 'Oes 'na rywbeth pwysig yn digwydd y diwrnod hwnnw?'

'Oes, Dad – rhywbeth pwysig iawn, iawn.'

'Beth allai fod yn ddigon pwysig i mi gymryd diwrnod bant o'r gwaith?' gofynnodd.

'Mae ein dosbarth ni'n mynd am drip i'r Parc Bywyd Gwyllt yn sir Benfro,' atebodd Alys, 'a dwi wedi dweud wrth Miss Morgan y byddet ti'n dod gyda ni i helpu.'

'Pam yn y byd y dwedaist ti hynny?' gofynnodd ei thad yn syn.

'Wel,' dechreuodd Alys mewn llais bach gwan, 'oherwydd ein bod ni nawr ym Mlwyddyn 6, a dyma fydd ein trip ola un gyda'r ysgol. Fe gollais i'r rhan fwya o'r flwyddyn oherwydd ein bod ni'n byw yng Nghaerdydd. Dyw Mam ddim yn gallu dod – mae hi'n rhy brysur, meddai hi. Ac os byddet ti yno, byddai'n gwneud y diwrnod yn sbesial iawn i mi.'

Roedd geiriau Alys yn amlwg wedi cael effaith fawr ar ei thad. 'Falle galla i gael diwrnod bant,' meddai. 'Dy'n ni ddim yn ofnadwy o brysur ar hyn o bryd. Oes 'na rieni eraill yn mynd?'

'O oes, sawl un,' atebodd Alys. 'Mae tad Megan yn gobeithio dod hefyd.'

Tynnais wyneb cas arni y tu ôl i gefn Gwyn. Pam bod raid iddi dynnu Dad i mewn i'r cawlach? Byddai e wedi ymateb yn debyg i fam Cadi – a gwrthod yn bendant. Ond allwn i ddim dweud hynny wrth Gwyn, chwaith!

'Ydy dy dad wir yn mynd?' gofynnodd gan edrych i fyw fy llygaid.

Teimlais fy wyneb yn cochi. 'Wel, mae e'n

gobeithio mynd, ond dyw e ddim yn hollol siŵr eto,' atebais. 'Mae'n bosib y bydd ganddo ryw gyfarfod pwysig.'

Ar hynny, roedd y rhaglen deledu'n amlwg yn cyrraedd rhyw uchafbwynt dramatig, a gwelodd Alys ei chyfle. Safodd rhwng ei thad a'r sgrin gan ofyn, 'Ddoi di, Dad, plis?'

'Dos o'r ffordd, bach, i mi gael gweld hwn . . . Ie, iawn.'

'Diolch! Bydd Miss Morgan wrth ei bodd – a finne hefyd! Joia weddill dy raglen!'

Dilynais Alys wrth iddi sgipio'n hapus mas o'r stafell. Yn y cyntedd, sibrydodd yn fy nghlust, 'Dyna'r cam cynta wedi'i gyflawni. Mae Dad yn credu ei fod wedi cytuno i gael diwrnod bant. Ond dyw e ddim yn sylweddoli taw dim ond y cam cynta fydd hyn tuag at greu bywyd newydd sbon i'r teulu i gyd!'

Byddwn wedi hoffi rhannu ei brwdfrydedd, ond allwn i ddim. Do'n i'n gweld dim byd ond problemau o'n blaenau. Roedd y cyfan yn siŵr o ddiweddu mewn dagrau.

Yn sydyn, meddyliais am rywbeth erchyll. Beth petai Gwyn yn gofyn i Miss Morgan fynd ar ddêt . . . a hithau'n cytuno?

A beth tasen nhw'n dod 'mlaen yn dda . . . ac

yn cwympo mewn cariad?! O mam bach! Oedd Alys wedi mynd yn rhy bell y tro hwn?

O *diar*, meddyliais, *mae'r cyfan mas o 'nwylo i nawr. Mae'r cynllun eisoes ar waith, ac am unwaith alla i ddim beio Alys.*

Y tro hwn, arna i oedd y bai am gael y syniad yn y lle cyntaf.

Pennod 8

Allech chi ddim dweud bod y trip i'r Parc Bywyd Gwych yn drychinebus.

Mewn gwirionedd, roedd e'n llawer gwaeth na hynny.

I ddechrau, trodd tad Alys lan yn yr ysgol yn gwisgo shorts cwbl ffiaidd, a'r crys-T hyllaf welais i erioed – un gwyrdd a phorffor. Roedd hynny'n ddigon drwg, ond yn waeth fyth doedd e ddim yn gwisgo trênyrs am ei draed fel pawb arall, ond yn hytrach rhyw sandalau brown henffasiwn a sanau streips llwyd a gwyrdd. Edrychai fel rhyw hen dad-cu yn hytrach nag fel tad trendi.

Ar ôl byw gyda Mam am bron i ddeuddeg

mlynedd, ro'n i'n gwybod popeth am sut i beidio gwisgo – ond roedd hyn y tu hwnt i jôc.

Cerddodd Gwyn tuag ata i. 'Ble mae dy dad?' gofynnodd.

Teimlais fy hun yn cochi. 'Ym . . . wel . . . fe ddwedais i falle y byddai ganddo fe gyfarfod, on'dofe? Yn anffodus, ym . . . dyw e ddim wedi gallu dod wedi'r cwbl,' dywedais gan faglu dros fy ngeiriau. 'Roedd e'n siomedig iawn, cofiwch,' ychwanegais.

'O wel,' atebodd Gwyn. 'Ei golled e fydd hi. Nawr 'te, gwell i mi fynd draw i ddweud wrth Miss Morgan 'mod i yma.'

Wrth iddo droi i adael, sylwais ar ei droed chwith. Roedd 'na glamp o dwll yn ei hosan, a bodyn ei droed yn sticio mas ohoni – a hwnnw'n flew coch drosto i gyd. Ych a fi!

Ar ôl iddo fynd, trois at Alys. Yn rhyfedd iawn, doedd hi ddim wedi cynhyrfu o gwbl.

'Welaist ti'r olwg erchyll oedd ar dy dad?' gofynnais. 'Dwyt ti ddim yn grac gydag e?'

'Ydw, wrth gwrs,' atebodd. 'Ond beth alla i wneud? Does dim amser iddo fe fynd adre i newid, a does dim pwynt i mi wneud ffys ac ypsetio pawb.'

'Ond faint o siawns sy 'na y bydd Miss

Morgan yn ei ffansïo yn y dillad erchyll 'na?' holais.

'Ymlacia, Meg,' atebodd Alys. 'Nid ei fai e yw hyn. Mae e wedi gwisgo'n addas i fynd ar drip ysgol – nid i greu argraff ar rywun. A beth bynnag, heb Mam i'w roi ar ben y ffordd, does ganddo ddim syniad sut i wisgo'n daclus.'

'Ond allet ti ddim fod wedi rhoi rhywfaint o gyngor iddo fe, a'i helpu i ddewis rhywbeth gwell?'

'Gyda Mam ro'n i neithiwr,' atebodd, 'a welais i mohono fe tan nawr, jest fel ti. Beth bynnag, holl bwynt y cynllun 'ma yw cael y teulu i gyd gyda'i gilydd unwaith eto, fel bod trychinebau ffasiwn fel hyn byth yn digwydd eto.'

Nodiais. Ro'n i wedi cael cymaint o fraw wrth weld Gwyn nes anghofio pam roedden ni'n gwneud hyn.

'Beth bynnag,' meddai Alys gan wenu, 'does dim pwynt i ni fecso am y peth. Jest gobeithio y bydd Miss Morgan yn gallu gweld y tu hwnt i'r dillad erchyll a sylweddoli dyn mor hyfryd yw Dad.'

Edrychais draw at Miss Morgan, oedd yn edrych yn bert mewn ffrog las golau a phâr o fflip-fflops ffansi am ei thraed. Nesaf ati safai

Gwyn – yn edrych fel rhyw jôc wael. Ond doedd gen i ddim awydd chwerthin. Doedd y sefyllfa ddim yn ddoniol o gwbl.

* * *

O'r diwedd, roedd hi'n amser i bawb fynd ar y bws. Eisteddodd Miss Morgan yn un o'r seddi blaen gyda Rhian, y cynorthwyydd dosbarth. Eisteddodd Alys a fi yn y sedd flaen arall, gyda Gwawr a Lois y tu ôl i ni. Stwffiodd Mirain Mai a'i ffrindiau i mewn i ddwy sedd, ac anelodd Gwyn am y cefn gyda'r bechgyn mawr swnllyd. Yn dawel bach, meddyliais falle y byddai'n syniad da iddo neidio mas o'r drws argyfwng cyn i'r bws gychwyn, hyd yn oed. Roedd gen i deimlad bod hwn yn mynd i fod yn ddiwrnod i'w gofio – am y rhesymau anghywir . . .

Unwaith roedden ni mas drwy giatiau'r ysgol, dechreuodd y bechgyn ganu'n uchel.

'Gwranda arnyn nhw, wir,' meddai Alys. 'Mae bechgyn yn gallu bod mor anaeddfed weithie . . . o leia mae Dad yno i gadw llygad arnyn nhw.'

Ond ar ôl y gân neu ddwy gyntaf, dechreuodd naws y caneuon newid. Safodd Miss Morgan ar ei thraed i wynebu'r bechgyn.

‘Reit, dyna ddigon,’ meddai. ‘Dyw’r caneuon hyn ddim yn addas o gwbl. Ry’ch chi’n rhoi enw drwg i’r ysgol cyn i ni droi’r gornel gyntaf, bron. Cofiwch eich bod ym Mlwyddyn 6 – fe ddylech chi wybod yn well. Nawr ’te . . .’

Tawodd yn sydyn, a throdd Alys a fi o gwmpas i weld pam. Yno, reit yng nghanol y grŵp swnllyd, roedd Gwyn – yn canu’n uwch na neb. Eisteddodd Miss Morgan i lawr yn sydyn, ei hwyneb yn goch.

Rhoddodd Alys ei phen yn ei dwylo. ‘Alla i ddim credu’r peth!’ llefodd. ‘Mae Dad yn dangos ei hun. Mae’n gwneud ei orau glas i greu argraff ar griw o fechgyn un ar ddeg oed. Beth yn y byd ydw i wedi’i wneud, Meg?’

* * *

Rhyw chwarter awr yn ddiweddarach, a ninnau ar gyrion Aberaeron, bu raid i’r bws stopio oherwydd bod ciw hir o gerbydau o’n blaenau. Edrychodd Miss Morgan yn bryderus ar ei watsh.

‘Mae’n rhaid bod damwain wedi digwydd yn rhywle ar y ffordd,’ meddai. ‘Gallen ni fod yma am oriau . . . ac mae’n rhaid i ni gyrraedd y Parc erbyn cinio. Roedd rheolwr y bwyty'n bendant iawn bod raid i ni fod yno ar amser.'

Ar hynny, cododd Gwyn ar ei draed, cerdded i flaen y bws a thapio'r gyrrwr ar ei ysgwydd.

'Dwi'n gyfarwydd iawn â'r ffyrdd yn yr ardal hon,' meddai'n awdurdodol. 'Gallen i eich arwain ar hyd y lonydd cefn i osgoi'r ciw traffig 'ma.'

Crafodd y gyrrwr ei ben, heb ddweud 'run gair.

'Wir i chi,' aeth Gwyn yn ei flaen, 'os trowch chi i'r chwith, gallwn osgoi'r dre yn gyfan gwbl – ac arbed lot fawr o amser.'

Trois at Alys a sibrwd yn ei chlust, 'Rwyt ti wedi dweud sawl gwaith nad oes gan dy dad unrhyw synnwyr cyfeiriad o gwbl . . . a'i fod e wastad yn llwyddo i fynd ar goll pan fyddwch chi ar wyliau.'

'Mae hynny'n wahanol,' meddai Alys. 'Mae e'n gyfarwydd iawn â'r ardal yma, a fyddai e byth yn mynd ar goll. Bydd e'n grêt. Pan fydd Dad yn llwyddo i'n cael ni mas o'r traffig 'ma, bydd Miss Morgan yn meddwl ei fod e'n arwr. Mae'n gyfle rhy dda i'w golli!'

Roedd y bws yn dal i sefyll yn ei unfan, a'r gyrrwr yn dal heb ddweud gair.

Ochneidiodd Gwyn a rhoi cynnig arall arni. 'Dwi wedi byw yn yr ardal hon ers blynyddoedd,' meddai, 'a dwi'n gyfarwydd iawn â'r holl ffyrdd bach cefn gwlad.'

'Wedais i, yn do?' sibrydodd Alys wrtha i.

Edrychodd y gyrrwr ar Miss Morgan ac edrychodd hithau ar Gwyn. Gwenodd yntau'n llydan arni hi.

'Gallwch chi ymddiried ynof i,' meddai.

Cymerodd Miss Morgan e ar ei air. Nodiodd ar y gyrrwr, a dechreuodd yntau lywio'r bws tuag at y tro i'r chwith.

Camgymeriad mawr.

Dechreuais amau nad oedd pethau fel y dylen nhw fod pan glywais y gyrrwr yn yngan rhyw eiriau hyll dan ei anadl.

Ymhen sbel, cerddodd Gwyn yn ôl i'w sedd gan ddweud, '*Chi* yw'r gyrrwr. Gweithiwch *chi* mas ble ry'n ni.'

Drwy hyn i gyd, roedd Alys yn syllu mas drwy'r ffenest fel tasai'r sefyllfa'n ddim oll i'w wneud â hi.

Daeth y creisis pan yrrodd y gyrrwr i mewn i gae a stryffaglu i droi'r bws o gwmpas er mwyn mynd yn ôl ar y ffordd y daethon ni arni.

Ond aeth y bws yn sownd mewn mwd, a bu

raid i bawb fynd mas i wthio. Ar unrhyw adeg arall, byddwn wedi meddwl bod hyn yn hwyl – ond roedd yr olwg ar wyneb Miss Morgan yn ddigon i'm sobri.

Safai Rhian a hithau dan gysgod coeden, yn gwylio pawb arall yn gwthio'r bws. Yn ôl yr olwg ar ei hwyneb, roedd yn amlwg y byddai wedi hoffi lladd rhywun. Doedd dim rhaid i mi ddyfalu pwy oedd y 'rhywun' hwnnw – Gwyn, tad Alys.

'Paid â becso,' meddai Alys pan oedd y bws yn ôl ar y ffordd gywir. 'Bydd Miss Morgan yn teimlo'n well o lawer ar ôl iddi gael ei chinio.'

Ro'n i'n byw mewn gobaith . . .

Pennod 9

Oherwydd anwybodaeth rhonc Gwyn, roedden ni dros awr yn hwyr yn cyrraedd y Parc Bywyd Gwyllt yn sir Benfro. Roedden ni wedi hen golli'r cyfle i fwyta'n cinio wrth y byrddau oedd wedi cael eu cadw i ni yn y caffi. Aeth Miss Morgan i siarad gyda'r rheolwr, ac roedd yn amlwg wrth yr olwg ar ei hwyneb nad oedd wedi cael croeso ganddo.

'Yn anffodus, blant,' cyhoeddodd, 'mae 'na ysgol arall wedi cymryd ein lle ni yn y caffi. Doedden nhw, mae'n amlwg, ddim wedi gyrru drwy'r caeau i gyrraedd yma.'

Ro'n i'n teimlo trueni dros Gwyn druan. Wedi'r cwbl, roedd e'n gwneud ei orau glas i helpu. Doedd e ddim wedi bwriadu arwain gyrrwr y bws i mewn i gae mwdlyd . . .

'Beth wnawn ni'n awr, Miss?' holais.

'Wel,' ochneidiodd Miss Morgan, 'y gorau

allan nhw gynnig yw ein bod yn ciwio i gael ein bwyd ac wedyn yn ei fwyta mas ar y glaswellt fan hyn.'

'Hwrê! Picnic!' gwaeddodd Gwyn.

Ond wrth weld yr olwg gas ar wyneb Miss Morgan, tawelodd yn sydyn. 'Mae'n flin gen i,' meddai, 'do'n i ddim ond yn trio codi'ch calon chi.'

Meddalodd Miss Morgan a gwenu'n wan arno.

'Pam na wnewch chi ymlacio fan hyn am sbel?' awgrymodd Gwyn. 'Gall Rhian a fi fynd â'r plant i nôl eu bwyd, ac fe ddo i â phlataid o rywbeth blasus i chi. Sut mae hynna'n swnio?'

Gwenodd Miss Morgan arno. 'Diolch,' meddai, 'byddai hynna'n grêt.'

Teimlais Alys yn fy mhwnio yn fy ochr. 'Welaist ti'r wên 'na?' gofynnodd yn gyffrous. 'Dwi'n credu ei bod hi'n ei hoffi fe.'

'Paid â bod yn rhy obeithiol,' atebais. 'Dyw hi ddim wir yn ei hoffi fe. Mewn gwirionedd, mae hi newydd sylwi ar ei sanau hyll ac yn teimlo trueni drosto.'

Aeth pawb heblaw Miss Morgan i'r caffi a chiwio i gael eu bwyd. Arhosodd Alys a fi yng nghefn y ciw lle gallen ni gadw llygad ar Gwyn a'i atal rhag gwneud dim byd twp arall.

Tra oedden ni'n aros, cerddodd Rhian heibio gyda'i chinio ar hambwrdd.

'Mae hi'n bert, on'd yw hi?' meddai Alys.

'Mmm . . . ydy glei,' atebais, 'yn enwedig ei gwallt – hoffwn i gael gwallt fel'na.'

'Ac mae hi'n llawn hwyl hefyd. Falle . . .' dechreuodd Alys.

Yn sydyn, sylweddolais beth oedd ar ei meddwl. 'Paid ti â meiddio!' rhybuddiais, gan afael yn ei braich.

'Ond . . .'

'Ond beth?'

'Iawn, dwi'n cyfadde,' meddai. 'Meddwl o'n i, tase pethe ddim yn gweithio mas rhwng Dad a Miss Morgan, falle y galle fe ofyn i Rhian yn lle hynny.'

Ysgydwais fy mhen yn bendant. 'Dim gobaith,' dywedais. 'Mae'r holl sefyllfa'n *llawer* rhy gymhleth yn barod heb i ti dynnu Rhian i mewn i'r cawlach hefyd!'

'Ti sy'n iawn, sbo,' ochneidiodd.

Gosododd Gwyn ei ginio e a chinio Miss Morgan ar yr hambwrdd, a gwasgu dwy baned o goffi a dau wydraid o ddŵr arno hefyd. Brysiodd Alys a fi i gael ein bwyd ninnau, a'i ddilyn mas o'r caffi.

Roedd Gwyn yn amlwg mewn hwyliau da, ac yn hymian wrth gerdded ar draws y glaswellt at Rhian a Miss Morgan.

'Beth wyt ti'n bwriadu galw Miss Morgan pan fydd hi'n llysfam i ti?' sibrydais yng nghlust Alys.

'Ha ha!' chwarddodd Alys. 'Fydd hynna byth yn digwydd, achos dwi'n benderfynol o gael Mam a Dad yn ôl gyda'i gilydd. Wrth gwrs, dy'n nhw ddim yn sylweddoli hynny eto. Ond unwaith y bydd Dad yn dechre mynd mas gyda Miss Morgan, bydd Mam yn rhedeg yn ôl ato, gei di weld.'

Do'n i ddim yn cytuno gyda hi, ond ddywedais i 'run gair. Alys yw fy ffrind gorau yn y byd i gyd. Yr unig beth oedd ar ei meddwl oedd cael ei rhieni'n ôl at ei gilydd unwaith eto – ac roedd hi'n haeddu fy nghefnogaeth.

Roedden ni bron â chyrraedd y fan lle roedd Miss Morgan a Rhian yn eistedd, pan waeddodd un o'r bechgyn. 'Hei! 'Drychwch! Mae 'na wiwer o dan y bwrdd!'

Rhaid bod y wiwer druan wedi cael braw, achos fe neidiodd o'i chuddfan dan y bwrdd a sgrialu rhwng coesau Gwyn.

Sgrechiodd yntau'n uchel a neidio i'r awyr i geisio osgoi'r creadur. Digwyddodd popeth fel mewn ffilm oedd yn rhedeg yn rhy araf. Ysgydwodd yr hambwrdd a chleciodd y llestri yn erbyn ei gilydd wrth i Gwyn stryffaglu i aros ar ei draed. Llwyddodd rhywsut i beidio â gollwng yr hambwrdd cyfan, ond yn anffodus llithrodd un baned o goffi oddi arno. Er iddo wneud ymdrech arwrol i'w harbed, cwympodd y cwpan i'r llawr gan dasgu coffi dros Miss Morgan.

'AAAW!' sgrechiodd. 'Ry'ch chi wedi llosgi 'nghoes i!'

Mewn chwinciad, gosododd Gwyn yr hambwrdd ar lawr, gafael mewn gwydraid o ddŵr, a thaflu'r cynnwys dros Miss Morgan. Er taw dim ond un gwydraid oedd e, rhywsut llwyddodd y dŵr i'w gwlychu o'i phen i'w thraed gan socian ei ffrog bert a'i fflip-fflops ffansi.

'Y ffŵl gwirion!' gwaeddodd Miss Morgan.

'Do'n i ddim ond yn trio helpu,' meddai Gwyn. 'Dyna mae rhywun i fod i'w wneud, yntê, taflu dŵr oer i arbed y croen rhag llosgi?'

'Dim ond diferyn neu ddau oedd e,' atebodd Miss Morgan. 'Ro'n i'n iawn, er ei fod yn boenus ar y pryd. A 'drychwch arna i nawr – dwi'n socian! Sut galla i gerddded o gwmpas y Parc yn edrych fel hyn? Bydd pawb yn chwerthin am fy mhen i!'

Yr eiliad honno, rhedodd Mirain Mai draw a llond ei llaw o napcynau o'r caffi.

'Dyma chi, Miss,' dywedodd. 'Defnyddiwch y rhain i sychu tipyn ar eich dillad.'

'Diolch yn fawr i ti, Mirain,' meddai Miss Morgan. 'Rwyt ti'n feddylgar iawn.'

Gwenodd Mirain Mai ar Alys a fi – rhyw hen wên slei – cyn sgipio'n hapus yn ôl at ei ffrindiau. Edrychodd Alys a fi ar ein gilydd – roedd yn ddigon drwg gweld Gwyn yn gwneud ffŵl ohono'i hun heb orfod gwylio Mirain Mai'n mwynhau'r anffawd hefyd.

O'r diwedd, eisteddodd pawb i lawr i fwyta'u cinio. Doedd gen i fawr o awydd bwyd erbyn hynny, ac roedd Miss Morgan yn amlwg yn teimlo 'run fath â fi. Dim ond pigo ar y bwyd wnaeth hi, mewn gwirionedd. Pan gododd hi a Rhian ar eu traed i fynd i'r tŷ bach, daeth Gwyn draw i eistedd gyda ni.

'Mae'n flin gen i am hynna,' meddai. 'Do'n i ddim yn bwriadu achosi embaras i chi.'

'Roedd e'n *erchyll*, Dad,' meddai Alys. 'Dwi erioed wedi teimlo'r fath gywilydd!'

'Damwain oedd hi. Os rhywbeth, y wiwer oedd ar fai!' taerodd.

'O, da iawn, Dad,' meddai Alys yn sychlyd, 'yn

rhoi'r bai i gyd ar anifail bach diniwed.'

Dechreuais chwerthin, ond tawelais yn sydyn wrth weld yr olwg ar wyneb Alys.

'Beth arall allwn i wneud?' gofynnodd Gwyn. 'Roedd hi'n sgrechian 'mod i wedi llosgi'i choes hi! Ro'n i'n ceisio'i harbed rhag cael niwed gwaeth. Sut gwyddwn i ei bod hi'n dipyn o ddrama cwîn?'

Anwybyddodd Alys ei thad. 'A beth am golli'n ffordd, a gorffen lan mewn cae mwdlyd? Ro'n i'n meddwl dy fod ti'n gyfarwydd â'r ffyrdd cefn gwlad?'

'Ie, wel . . . dwi'n siŵr bod ffordd yn arfer bod yno erstalwm . . .'

'Ac yn waeth na dim, pam yn y byd oeddet ti'n ymuno gyda'r bois i ganu caneuon braidd yn . . . ddigywilydd? Dyn yn ei oed a'i amser yn gwneud y fath beth!'

'Tipyn o hwyl oedd hynny, Alys fach,' chwarddodd Gwyn. 'Dylai hyd yn oed Miss Trwynsur allu gweld yr ochr ddoniol.'

Ochneidiais. Oedd Alys yn dal i gredu y gallai berswadio'i thad i fynd ar ddêt gyda menyw roedd e'n ei galw'n 'ddrama cwîn' ac yn 'Miss Trwynsur'?

Oedd, mae'n debyg ei bod hi! Ysgydwodd ei

bys yn wyneb ei thad a siarad gydag e fel tase fe'n blentyn bach.

'Nawr 'te, Dad,' meddai mewn llais llym. 'Dwi'n dy rybuddio di. Dim mwy o chwarae'r ffŵl. O hyn 'mlaen, dwi am i ti bihafio, reit? Jest cadwa mas o drwbwl. Rwyt ti'n embaras llwyr, a chei di byth . . .'

Tawodd Alys yn sydyn.

'Ga i byth . . . beth?' gofynnodd Gwyn.

'Dim byd,' meddai Alys yn grac. 'Jest bydd yn garcus, iawn?'

Pennod 10

Roedd pawb wedi blino'n lân wrth ddringo i mewn i'r bws ar ddiwedd y dydd. Gan fod Gwawr a Lois yn gwrando ar gerddoriaeth, cafodd Alys a fi gyfle am sgwrs.

'Wel?' meddai Alys. 'Sut hwyl gafodd Dad, ti'n meddwl? Fydd Miss Morgan yn fodlon mynd mas gydag e?'

Yn bersonol, ro'n i'n credu y byddai gen i well siawns o fynd mas gyda Justin Bieber – ond feiddiwn i ddim dweud hynny wrth Alys.

'Sai'n gwybod beth ddaeth drosto fe bore

'ma,' aeth Alys yn ei blaen, heb aros am ateb gen i. 'Dyw e ddim fel arfer mor anobeithiol â hynna. Falle'i fod e'n nerfus ar ôl clywed pa mor bwysig oedd heddiw i mi. Er, roedd e'n iawn ar ôl cinio, on'd oedd e?'

Fedrwn i ddim peidio â gwenu wrth ddweud, 'Oedd, sbo, heblaw am yr adeg pan faglodd e a glanio yn y pwll hwyaid!'

'Ar yr hwyaden 'na oedd y bai am gwacian mor uchel a rhoi braw iddo fe!'

'A heblaw hefyd am y ffaith ei fod wedi cael stŵr am dynnu wynebau doniol ar y mwncïod, a'r gofalwr yn dweud ei fod yn ymddwyn yn waeth na phlentyn bach!' ychwanegais.

'Welodd Miss Morgan mohono fe, felly doedd hynna ddim yn cyfri,' chwarddodd Alys. 'Beth bynnag, beth wyt ti'n feddwl? Ddylwn i awgrymu i Dad ei fod yn siarad gyda Miss Morgan pan gyrhaeddwn ni'n ôl? Gofyn iddi ddod mas am goffi ar y ffordd adre, falle?'

Cyn i mi gael cyfle i ateb, stryffaglodd Gwyn o'r sedd gefn a thapio'r gyrrwr ar ei ysgwydd. 'Allwch chi stopio'r bws, plis?' plediodd mewn llais bach gwan.

Chymerodd y gyrrwr ddim sylw ohono – gan gofio, mae'n siŵr, taw hwn oedd y boi oedd wedi ei arwain i mewn i gae mwdlyd y bore hwnnw.

'Stop! Plis! Mae hyn yn argyf–'

Ond cyn i Gwyn orffen dweud y gair, plygodd ymlaen a chwydu'n swnllyd dros lawr y bws. Sgrechiodd pawb – roedd yr olygfa a'r drewdod yn hollol *ffiaidd*.

'Ych a fi!' llefodd Mirain Mai. 'Mae e wedi sblasio dros fy nhrênyrs newydd sbon i!'

Dyna'r peth gorau ro'n i wedi'i glywed drwy'r dydd!

Trois at Alys a dweud, 'Soniaist ti ddim fod dy dad yn mynd yn sâl wrth deithio.'

'Dyw e ddim fel arfer,' atebodd gan ddal ei thrwyn wrth siarad. 'Rhaid bod y bois yn y cefn wedi bod yn ei stwffio â losin a chreision.'

Trodd Miss Morgan i'n hwynebu, ac roedd ei hwyneb yn bictiwr. 'Alla i ddim credu'r peth!' llefodd. 'Mae heddiw wedi troi mas i fod yn un o ddiwrnodau gwaetha 'mywyd i!'

Ochneidiais. Miss Morgan druan! Doedd hi ddim yn haeddu'r fath brofiadau erchyll.

Tynnodd y bws i mewn i gilfan er mwyn i Gwyn cael cyfle i lanhau rhywfaint arno'i hun gyda'r weips a daflodd Miss Morgan ato. Aeth ati wedyn i geisio sychu rhywfaint ar y llawr rhag ofn i rywun lithro ar yr afon ddrewllyd. Ar ei ffordd yn ôl i'r sedd gefn, aeth at Mirain Mai a gofyn, 'Hoffet ti i mi drio glanhau dy sgidiau di, bach?"

'Peidiwch â dod yn *agos* ata i!' llefodd. 'Wna i *byth bythoedd* wisgo'r trênyrs 'ma eto – maen nhw wedi difetha'n llwyr!'

Cerddodd Gwyn yn ôl i'r sedd gefn heb ddweud gair, a diolch byth ddigwyddodd dim byd ofnadwy am weddill y daith.

Cyn gynted ag y stopiodd y bws tu allan i'r ysgol, rhuthrodd Gwyn drwy'r drws a diflannu cyn i neb gael cyfle i dorri gair ag e.

'Alli di dderbyn nawr nad yw dy dad a Miss Morgan yn debygol o fod yn gariadon?' gofynnais wrth i Alys a fi gerdded i mewn i'r ysgol yn cario bagiau o sbwriel oddi ar y bws.

Roedd golwg mor drist ar ei hwyneb nes 'mod i'n teimlo trueni mawr drosti. Ddywedodd hi 'run gair o'i phen.

'Beth bynnag,' ychwanegais, 'rhaid i mi gymryd peth o'r bai. Wedi'r cwbl, fy syniad i oedd bod dy dad yn dod gyda ni ar y trip. Falle bod treulio diwrnod cyfan gyda'i gilydd wedi bod yn ormod iddyn nhw.'

Doedd hynny ddim yn beth doeth i'w ddweud. 'Ti'n iawn!' meddai Alys, yn amlwg wedi codi'i chalon. 'Roedd diwrnod cyfan *yn* ormod. Rhaid i ni roi cynnig arall arni. Falle gallen ni . . .'

Erbyn hynny, roedden ni bron â chyrraedd y biniau mawr. Y tu ôl iddyn nhw, gallen ni glywed llais Miss Morgan yn sgwrsio a Rhian yn chwerthin yn braf.

'Wir i ti, Rhian,' meddai Miss Morgan. 'Dwi erioed yn fy myw wedi cwrdd â neb tebyg i Gwyn Roberts. Mae e'n waeth nag unrhyw blentyn dwi erioed wedi'i ddysgu. Rhaid i mi gyfadde, ro'n i'n teimlo trueni drosto pan glywais fod ei wraig wedi'i adael. Ond nawr 'mod i'n ei 'nabod yn well, dwi'n credu ei bod hi'n haeddu medal am ei ddiodde am gymaint o amser. Dwi *byth* eisiau gweld y dyn 'na eto!'

Gollyngodd Alys a fi ein bagiau o sbwriel i mewn i'r bin agosaf a rhedeg nerth ein traed oddi yno. Roedd Alys yn torri'i chalon.

'Druan o Dad,' llefodd. 'Sut gallai Miss Morgan ddweud pethau mor ofnadwy amdano fe? Roedd hi'n gwneud iddo swnio fel rhyw ffrîc!'

Yn fy marn i, roedd hynna'n ddisgrifiad digon teg o ymddygiad Gwyn y diwrnod hwnnw, ond penderfynais gau 'ngheg.

'Paid â llefen, Al,' dywedais wrthi gan roi fy mraich amdani. 'Mae Miss Morgan wedi cael diwrnod hir. Mae hi'n flinedig ac yn grac. Ry'n ni'n dwy'n gwybod yn iawn nad un fel'na yw dy dad mewn gwirionedd.'

'Wir?' meddai Alys, gan sychu ei dagrau.

'Wir yr,' atebais yn bendant. 'Mae dy dad yn foi grêt. Roedd e jest yn anlwcus heddi. Nid arno fe roedd y bai am y rhan fwya o'r pethau ddigwyddodd. Ac ar ôl clywed Miss Morgan yn dweud yr holl bethau cas 'na amdano fe, dwi'n credu ei fod yn lwcus nad yw e'n mynd mas gyda hi. Dyw hi ddim yn ddigon da iddo fe, yn fy marn i.'

'Diolch, Meg,' meddai Alys mewn llais crynedig.

'Croeso,' atebais.

Fel arfer, pan mae Alys yn llefain ac yn drist, dwi byth yn gwybod beth i'w ddweud wrthi hi. Diolch byth, y tro hwn, ro'n i wedi dewis y geiriau iawn. Whiw!

'Wel,' meddai Alys, 'o leia ry'n ni'n gwybod nawr sut mae Miss Morgan yn teimlo tuag at Dad. Does dim pwynt i ni wastraffu rhagor o amser yn ceisio cael y ddau at ei gilydd.'

Diolch byth! meddyliais, cyn ychwanegu, 'Dwi *mor* falch o dy glywed di'n dweud hynna, Al.

Dwi'n casáu'r holl gynllwynio 'ma. Diolch byth fod y cyfan ar ben – nawr gallwn ni ganolbwyntio ar fwynhau gweddill y tymor. Mae 'na gymaint o bethe i edrych 'mlaen atyn nhw . . .'

'Hei! Stopia!' meddai Alys gan godi'i llaw. 'Am beth wyt ti'n sôn?'

'Ti'n gwybod,' atebais, 'yr holl fusnes 'ma o drefnu bod dy dad yn cael cariad er mwyn gwneud dy fam yn eiddigeddus. Roedd e'n syniad twp o'r cychwyn cynta. Gallwn ni anghofio'r cyfan amdano fe nawr.'

Roedd golwg wirioneddol grac ar Alys wrth fy ateb. 'Ond roedd e'n syniad hollol *wych*! Mae e'n *dal* i fod yn syniad gwych! Mae'n *rhaid* i ni gael cariad i Dad – does dim byd wedi newid yn hynny o beth. Yr unig beth sy'n wahanol yw ein bod ni'n gwybod bellach nad Miss Morgan yw "yr un" – dyw hi ddim yn ei haeddu fe! Felly rhaid i ni roi'n pennau at ei gilydd a chwilio am rywun arall. Rhywun mwy addas.'

Y tro hwn, *fi* oedd yn teimlo fel llefain.

Pam nad oedd Alys byth yn fodlon ildio?

Pam o'n i wedi dewis y ferch fwya styfnig yn y byd i gyd i fod yn ffrind gorau i mi?

* * *

Yn yr ysgol y bore wedyn wnes i ddim gwenu, hyd yn oed, pan ddywedodd Miss Morgan 'bore da' wrtha i. Sut gallwn i, ar ôl clywed y pethau ofnadwy ddywedodd hi am dad Alys?

Ond drwy gydol y bore sylwais fod Miss Morgan yn arbennig o glên wrth Alys – yn gymaint felly nes bod Alys wedi dweud wrtha i amser cinio, 'Wyt ti'n credu bod Miss Morgan wedi newid ei meddwl ynghylch Dad? Falle'i bod hi'n ei hoffi wedi'r cwbl . . .'

Ysgydwais fy mhen mewn anobaith. Sut gallai Alys fod mor dwp?

'Pam mae hi mor glên wrtha i, 'te?' gofynnodd.

Do'n i ddim yn gwybod sut i'w hateb hi . . .

Yr eiliad honno, daeth Mirain Mai draw aton ni. 'Haia, Alys,' meddai. 'Dwi wedi sylwi bod Miss Morgan yn arbennig o glên wrthot ti heddi. Mae'r holl beth yn embaras mawr i ti, dwi'n siŵr.'

'Does gen i ddim syniad am beth wyt ti'n sôn,' atebodd Alys yn siarp.

'Wel, yr unig beth ddweda i yw hyn,' meddai Mirain Mai, 'byddwn i'n teimlo'n ofnadwy tasai athrawes yn teimlo trueni drosta i am fod gen i dad sy'n gymaint o ffrîc!'

A chan fflicio'i gwallt dros ei hysgwyddau, cerddodd i ffwrdd.

Trodd Alys ata i, a'i llygaid yn llawn dagrau.

'Ydy Mirain Mai'n dweud y gwir?' gofynnodd. 'Ydy Miss Morgan wir yn teimlo trueni drosta i?'

Wrth gwrs ei bod hi, meddyliais, *ond alla i ddim ddweud hynny wrth Alys. Fe fyddai hi'n mynd yn honco bost!*

Yn lle hynny, ysgydwais fy mhen a dweud, 'Ti'n gwybod sut un yw Mirain Mai – mae hi byth a hefyd yn creu trafferth. Dere, gad i ni anghofio'r cwbwl amdani a mynd i chwilio am Gwawr a Lois.'

Dwn i ddim a oedd Alys yn fy nghredu ai peidio, ond ddywedodd hi 'run gair arall am y peth. Er hynny, fedrwn i ddim ymlacio gan wybod nad oedd Alys wedi anghofio am y syniad o chwilio am gariad i'w thad. Dyw hi *byth* yn rhoi lan.

Hyd yn oed os nad oedd hi'n siarad am y peth, ro'n i'n gwybod bod y cyfan yn troi a throsi yn ei phen drwy gydol yr amser. Falle na fyddai hi'n dweud gair am y peth am wythnosau, neu hyd yn oed fisoedd. Ond rhywbryd, yn hwyr neu'n hwyrach, byddai Alys yn siŵr o feddwl am ryw gynllun hanner call a dwl arall.

Yn y cyfamser, penderfynais beidio â sôn gair am y peth. Byddai rhywbeth yn siŵr o godi cyn bo hir!

Pennod 11

Pan gyrhaeddais adre o'r ysgol un pnawn Llun, wythnos neu ddwy'n ddiweddarach, roedd Mam yn eistedd ar ganol llawr y stafell fyw. O'i chwmpas ym mhobman roedd pentyrrau o hen luniau, a'r lle'n edrych fel petai ffrwydrad wedi digwydd yno!

'Beth sy'n bod, Mam?' gofynnais, gan redeg draw ati. Roedd rhyw olwg od ar ei hwyneb, a'i llygaid yn llaith. 'Beth sy wedi digwydd?'

'Dim byd, bach,' meddai gan wenu.

'Ond . . . ond . . .' dechreuais, gan bwyntio at y lluniau ar lawr.

Edrychodd Mam o'i chwmpas fel tasai hi wedi anghofio'n llwyr ei bod hi'n eistedd yng nghanol môr o luniau.

'O, hynna,' meddai. 'Paid â becso – dwi jest yn hapus.'

Pa fath o fam hanner call a dwl oedd gen i? Pam na allai hi chwerthin a dawnsio o gwmpas fel pawb arall pan maen nhw'n teimlo'n hapus?

Codais un llun o'r pentwr a syllu arno. Pwy, tybed, oedd y bobl drist yma yn eu dillad trychinebus? *O na*, meddyliais, wrth edrych yn fwy manwl. Yn ara deg, gwawriodd y gwirionedd arna i . . .

Llun o Mam a Dad oedd e – wedi'i dynnu fel jôc wael, mae'n rhaid. Roedd gwallt Mam i lawr at ei chanol, ac wedi'i osod fel rhyw lwyn blewog ar dop ei phen. Roedd hi'n gwisgo ffrog felen, anferth a honno i lawr at ei thraed. Mewn gwirionedd, roedd hi'n debyg iawn i glamp o genhinen Bedr!

Roedd gwallt Dad yn y llun yn hir ac yn seimllyd – fel llond pen o gynffonnau llygod mawr. Ych a fi! Ond hyd yn oed yn waeth na hynny, roedd e'n gwisgo dyngarîs – rhai mawr, llac – ac yn ôl yr olwg ar ei wyneb roedd e'n amlwg yn credu ei fod yn edrych yn trendi.

Roedd e'n gwenu ac yn codi'i law ar y camera, fel rhyw seren bop! Penderfynais yn y fan a'r lle y byddai'n rhaid i mi gael gair ag e – unwaith ro'n i wedi dod dros y sioc!

Cymerodd Mam y llun o'm llaw a syllu arno. 'Roedd dy dad a fi mor hapus y diwrnod hwnnw,' meddai mewn rhyw lais meddal nad o'n i wedi'i glywed o'r blaen.

'Pam?' gofynnais dan chwerthin. 'Oeddech chi ar eich ffordd i barti gwisg ffansi, ac yn gwybod taw chi oedd â'r dillad mwyaf doniol?'

'Ha ha,' atebodd Mam yn sychlyd.

Gafaelais mewn rhagor o luniau. Roedden nhw i gyd wedi'u tynnu tua'r un adeg, a hynny mewn rhyw gyngerdd neu ŵyl. Fedrwn i ddim edrych yn rhy fanwl arnyn nhw – roedd y lliwiau'n rhy llachar ac yn brifo fy llygaid.

'Ble roeddech chi?' gofynnais.

Ochneidiodd Mam yn hapus. 'Gŵyl Môr a Mynydd ym Mhen Llŷn,' meddai Mam. 'Aethon ni yno'n fuan ar ôl priodi. Gawson ni amser hollol wych yno. A wyddost ti beth?'

'Gawsoch chi'ch arestio am dorri rheolau byd ffasiwn?' gofynnais yn goeglyd.

Anwybyddodd Mam fi'n llwyr a dweud, 'Dwi newydd glywed ar y radio bod 'na ŵyl debyg yn cael ei chynnal y penwythnos yma – math o aduniad. Diolch byth 'mod i wedi clywed y newyddion – gallwn i'n hawdd fod wedi colli'r cyfle!'

'Ie wir, Mam,' dywedais gan wenu'n slei. 'Byddai hynny'n drychineb!'

Ond doedd Mam ddim yn gwrando. 'Mae'r ŵyl yn cael ei chynnal yn yr un lle yn union,' meddai, 'ac mae sawl un o'r bandiau gwreiddiol yn dod i berfformio. Ry'n ni'n bwriadu mynd am y penwythnos cyfan – mae'n hen bryd i mi gael cyfle i ymlacio a joio.'

'O na!' llefais. 'Does dim byd gwaeth na hen bobl yn ymlacio a joio!'

Ond daliai Mam i siarad fel taswn i heb ddweud gair – od iawn! Erbyn hyn, ro'n i wedi disgwyl y byddai wedi dechrau ar ei darlith arferol ar 'ddangos parch at oedolion'.

'Ry'n ni'n mynd i wersylla yn yr un cae ag y buon ni ugain mlynedd yn ôl,' meddai Mam. 'Bydd yn hyfryd cael cyfle i ail-fyw'r profiad.'

'Rhaid i chi fod yn ofalus,' dywedais. 'Mae'n swnio i mi fel tasai'r lle'n mynd i fod yn berwi o hen hipis gwallgo. Gallai fod yn beryglus iawn!'

Ond roedd Mam yn ei byd bach ei hun. Edrychodd ar y llun cyntaf unwaith eto. 'Dwi'n credu bod y ffrog yma'n dal gen i,' meddai. 'Rhaid i mi chwilota yn yr atig.'

'Pam, wyt ti'n bwriadu'i defnyddio hi fel pabell?' chwarddais. 'Gallet ti fod yn boblogaidd iawn tasai'r tywydd yn wael – mae 'na le i sawl person i mewn yn fan'na.'

Do'n i ddim yn cael unrhyw ymateb o gwbl gan Mam, pa mor ddigywilydd bynnag o'n i. Yn sydyn, meddyliais am rywbeth cwbl erchyll. Tybed oedd Mam yn disgwyl i minnau fynd i'r ŵyl, i ganol hen bobl hanner call a dwl yn eu dillad seicadelic a'u gwalltiau mawr?

Oedd hi'n disgwyl i mi dreulio penwythnos cyfan yn cerdded o gwmpas cae mwdlyd yn gwrando ar fandiau oedd yn boblogaidd ugain mlynedd yn ôl? O, y fath gywilydd! Byddai fy llun yn siŵr o fod mewn papur newydd yn rhywle, a rhywun yn ei ddangos i Mirain Mai. Byddai hynny'n ddigon o reswm iddi wneud fy mywyd yn uffern am weddill ein hamser yn yr ysgol gynradd.

Oedd Mam yn gwneud ei gorau glas i ddifetha fy mywyd yn llwyr?

Ro'n i wedi cynhyrfu gymaint fel mai prin y gallwn siarad. 'Yyyy . . . does . . . dim rhaid i mi fynd, yn nag oes, Mam?' plediais.

Ysgydwodd Mam ei phen. 'Nag oes, bach. Mae'n flin gen i, ond dyw e ddim yn lle addas i blant. Fe fyddi di a Seren yn aros adre. Dwi wedi trefnu bod Llinos yn dod draw i'ch carco chi.'

Bu bron i mi lewygu o ryddhad. Roedd hynna'n newyddion grêt! Chwaer ieuengaf Mam yw Llinos, ond dy'n ni ddim yn ei gweld yn aml oherwydd ei bod yn byw ym Mangor ac yn brysur iawn. Ond pan mae hi'n dod draw, mae hi wastad yn llawn hwyl – ac yn rhoi losin i Seren a fi ar y slei pan dyw Mam ddim yn edrych. Ro'n i'n edrych 'mlaen at dreulio penwythnos cyfan gyda hi.

'O diar,' meddai Mam mewn llais gofidus. 'Gobeithio'n bod ni'n gwneud y peth iawn. Dyma fydd y tro cynta i Dad a fi dreulio noson i ffwrdd oddi wrth Seren. Dim ond babi yw hi o hyd. Falle dylen ni fynd â chi gyda ni – gwell i mi ffonio Llinos i ddweud wrthi nad oes angen iddi ddod.'

Neidiais ar fy nhraed. Do'n i *ddim*, ar unrhyw gyfri, yn bwriadu mynd gyda Mam a Dad. Roedd yn rhaid i mi ddweud rhywbeth i'w pherswadio i newid ei meddwl.

'Na, Mam,' dywedais. 'Plis paid â ffonio Llinos. Mae Seren bron yn bedair oed ac yn ferch fawr nawr. Fe wna i'n siŵr ei bod hi'n iawn, a helpu Llinos ar bob cyfle posib.'

'Iawn, bach,' chwarddodd Mam. 'Dwi'n deall. Bydd raid i mi adael Seren rywbryd – ac mae hwn cystal cyfle â dim, sbo. Bydd yn braf i chi'ch dwy gael treulio amser gyda Llinos a dod i 'nabod eich gilydd yn well. Nawr 'te – ei di i nôl yr ysgol o'r garej i mi? Dwi am fynd lan i'r atig i weld os galla i ddod o hyd i'r ffrog felen hyfryd 'na.'

Pennod 12

Y Rhestr

Dim mwy nag 1 awr o wylio'r teledu bob dydd

Dim Losin

Dim Creision

Rhyw ugain munud yn ddiweddarach, roedd Mam yn hymian hen ganeuon wrth chwilota drwy'r bocsys yn yr atig. Cyn bo hir, galwodd arna i.

'Dere lan ata i, Megan. Mae hyn yn hwyl, ond gallen i wneud y tro â thipyn o help.'

Hmmm, meddyliais, *basai gwneud deg tudalen o waith cartre mathemateg yn fwy o hwyl na helpu Mam*. Ond penderfynais beidio â dweud hynny wrthi hi. Yn hytrach, dywedais, 'Mae'n flin gen i, Mam, ond dwi wedi addo mynd drws nesa at Alys.'

Ches i ddim ateb gan Mam, felly manteisiais ar y cyfle i ddianc yn slei bach.

Fedrwn i ddim aros i ddweud wrth Alys bod Mam a Dad yn mynd bant am y penwythnos.

'Waw!' llefodd. 'Rwyt ti mor lwcus! Penwythnos cyfan heb dy rieni? Dwi'n teimlo'n eiddigeddus yn barod!'

Tawodd yn sydyn. 'Ond pwy sy'n mynd i'ch carco chi? Allwch chi ddim aros gartre ar ben eich hunain. Ydy dy fam yn ymddiried ddigon yn rhywun i'ch bwydo chi ag uwd organig, a'ch cadw chi'n ddigon pell oddi wrth y cyfrifiadur a'r teledu?'

'Dyna'r newyddion gorau,' chwarddais. 'Mae Anti Llinos yn dod draw am 'chydig ddyddiau. Mae hi'n cŵl iawn – wel, ddim yn cŵl *iawn*, falle, ond yn sicr mae hi'n llawer mwy cŵl na Mam! Bydd hi'n addo pob math o bethau, ond cyn gynted ag y bydd Mam wedi mynd o'r golwg bydd hi'n ymddwyn fel person cwbl normal. Mae'n mynd i fod yn–'

Cododd Alys ei llaw i'm hatal rhag dweud rhagor. Roedd yr olwg od 'na ar ei hwyneb hi eto . . . doedd hynny ddim yn arwydd da!

'Dwi'n cofio Llinos – welais i hi y tro diwetha roedd hi'n aros gyda chi,' meddai.

‘Mae hi’n dod bob hyn a hyn,’ cytunais, ‘ond dyw hi byth yn aros yn hir iawn. Ar ôl rhyw ddiwrnod neu ddau mae hi’n ysu am gael mynd yn ôl i’r gogledd. Mae hi–’

Torrodd Alys ar fy nhraws unwaith eto. ‘Os dwi’n cofio’n iawn,’ meddai, ‘mae Llinos yn fenyw bert, on’d yw hi?’

‘Dwi erioed wedi meddwl am y peth,’ dywedais. ‘Dyw hi ddim yn edrych yn debyg i Mam, ac mae hynny’n siŵr o fod yn beth da. Mae ganddi hi wallt du, cyrliog, ac mae’n gwisgo dillad cŵl . . .’

Erbyn hyn, roedd Alys yn gwenu fel giât. Pam ei bod hi’n cymryd cymaint o ddiddordeb yn Anti Llinos, tybed, ac yn edrych fel tasai hi newydd ennill y Loteri?

‘Dyw Llinos erioed wedi priodi, nag yw?’ holodd yn ddiniwed.

Yn sydyn, roedd popeth yn glir fel grisial i mi.

‘*Na*, Alys – na, na, na! Chei di *ddim* tynnu Llinos i mewn i un o dy gynlluniau twp di!’

Anwybyddodd Alys fi’n llwyr. ‘Na, dwi’n siŵr nad yw hi ddim yn briod,’ meddai gan ateb ei chwestiwn ei hun. ‘Oes ganddi hi sboner, tybed?’

Ro’n i bron yn gant y cant siŵr taw ‘nac oes’ oedd yr ateb. Ro’n i wedi clywed Mam a Dad yn trafod y peth y dydd o'r blaen. Ond do'n i ddim yn awyddus i rannu'r wybodaeth honno gydag Alys.

'Dere, Meg, dweda wrtha i,' mynnodd. 'Oes gan Llinos sboner?'

'Ddim hyd y gwn i,' atebais yn anfoddog.

'Hwrê! Dyna ni, 'te,' dywedodd Alys gan wenu o glust i glust. 'Gallwn ni drefnu bod Dad a Llinos yn dod i 'nabod ei gilydd yn well, a gwneud yn siŵr bod Mam yn gwybod am y peth. Buan iawn y bydd hi'n begian ar Dad i ddod yn ôl ati hi. Syml!'

Cerddais i ffwrdd oddi wrthi a syllu drwy'r ffenest ar y siglenni yn yr ardd. Roedden ni'n arfer treulio oriau erstalwm yn eistedd ar y siglenni a siarad am bopeth dan haul. Roedd bywyd mor braf bryd hynny pan oedd rhieni Alys gyda'i gilydd, a dim byd i ni fecso yn ei gylch heblaw cael hwyl a sbri.

A thros wyliau'r Pasg, pan oedd Alys, Jac a Lisa wedi symud yn ôl i Aberystwyth i fyw, ro'n i'n meddwl y byddai pawb yn hapus eto, yn union fel roedden nhw'n arfer bod.

Yn sydyn, daeth pwl o euogrwydd drosta i wrth sylweddoli pa mor hunanol ro'n i wedi bod. Oherwydd 'mod i wedi cael fy ffrind gorau'n ôl, do'n i ddim wedi ystyried y ffaith falle'i bod hi'n dal i dorri'i chalon oherwydd bod ei rhieni'n dewis byw ar wahân. Doedd byw yn agos at ei gilydd ddim 'run fath. Ro'n i wedi bod yn ddifeddwl iawn . . .

Daeth Alys draw at y ffenest a sefyll wrth fy ochr. 'Dim ond am ychydig ddyddiau fydd Llinos yma,' meddai mewn llais tawel. 'Mae'n gyfle perffaith, a byddai'n drueni i ni beidio â manteisio arno fe. Helpa fi, Meg – plis. Wna i ddim gofyn i ti eto, dwi'n addo.'

Ochneidiais. Roedd gen i ddau ddewis. Gallwn naill ai gytuno i'w helpu nawr, y funud hon – neu dreulio'r wythnos nesa'n gwrando arni hi'n pledio arna i, a chytuno bryd hynny. Beth bynnag oedd yn digwydd, ro'n i'n gwybod yn iawn y byddwn – yn hwyr neu'n hwyrach – yn glanio'n glewt ynghanol un o gynlluniau Alys.

Symudodd Alys oddi wrtha i a mynd i eistedd ar ei gwely. Pan drois i edrych, roedd golwg mor drist arni nes 'mod i bron iawn â llefain. Pa fath o ffrind o'n i os taw dim ond pan oedd hi'n hapus ro'n i'n fodlon ei chefnogi?

Es lan ati a dweud, 'Dim stwff hanner call a dwl y tro hwn, iawn?'

Neidiodd Alys ar ei thraed, rhoi clamp o

gwtsh i mi a dweud, 'Dwi'n addo. Wir yr. Diolch i ti, Meg – allai neb gael gwell ffrind na ti!'

Gwnes fy ngorau glas i wenu, ond fedrwn i ddim.

* * *

Drwy gydol yr wythnos honno, roedd pob math o bethau od yn digwydd. Roedd Mam yn diflannu i'r atig ar bob cyfle posib, gan gario llwythi o ddillad hyll, lliwgar i lawr gyda hi a'u pentyrru ar fwrdd y gegin gan ochneidio'n hapus.

'OOO!' byddai'n dweud. 'Roedd popeth mor syml a lliwgar a hapus erstalwm!'

Fel arfer, ro'n i'n llwyddo i'w hosogi, ond weithiau – pan oedd pethau'n mynd yn drech na fi – ro'n i'n esgus chwydu. Doedd Mam ddim fel tasai hi'n sylwi – roedd ei meddwl wedi mynd yn ôl i ryw gyfnod yn y gorffennol pan do'n i ddim hyd yn oed yn bod.

Un diwrnod, pan gyrhaeddodd Dad adre o'r gwaith, gwthiodd Mam ddilledyn denim i'w freichiau. 'Dyma ti,' meddai wrtho.

Daliodd Dad y dilledyn o'i flaen, a dechreuais chwerthin wrth weld beth oedd e – yr hen ddyngarîs roedd e'n eu gwisgo yn y llun.

'Wyt ti'n eu cofio nhw, Gareth?' gofynnodd Mam. 'Jest y peth i ti eu gwisgo yn yr Ŵyl.'

Roedd wyneb Dad yn bictiwr. 'Na, dwi ddim yn credu, Hafwen. Maen nhw'n hen fel pechod. Dwi'n hoffi meddwl 'mod i wedi symud yn fy mlaen gryn dipyn ers hynny!'

'O, gwisga nhw,' plediodd Mam. 'Dos i'r llofft i newid. Plis – i 'mhlesio i!'

Ychydig funudau'n ddiweddarach, cerddodd Dad yn ôl i mewn – yn gwisgo'r dyngarîs. Fedrai hyd yn oed Mam ddim peidio â chwerthin ar yr olygfa o'i blaen. Edrychai Dad yn erchyll – fel cymeriad mewn pantomeim.

'Fi ofan Dadi! Dos o'ma!' llefodd Seren, gan guddio y tu ôl i goesau Mam.

'Hapus nawr?' meddai Dad. 'Dwi hyd yn oed yn codi ofn ar fy merch fach fy hun!'

'Ie, wel,' chwarddodd Mam. 'Falle taw camgymeriad oedd gofyn i ti wisgo'r rhain. Fe chwilia i yn yr atig am rywbeth arall – mae 'na ddigon o ddewis yno!'

'Paid ti â meiddio, Hafwen,' atebodd Dad yn bendant. 'Naill ai dwi'n gwisgo fy jîns arferol, neu gei di anghofio am y penwythnos, ti'n deall?'

'Iawn,' meddai Mam yn anfodlon, gan

ychwanegu'n dawel, 'tybed ydy dy hen sandalau di lan yn yr atig hefyd?'

'Dyna ddigon, Hafwen – dwi ddim eisiau clywed gair am y peth eto, ti'n deall?'

'Ti sy'n iawn, sbo,' meddai Mam. 'Nawr 'te, dos i newid yn ôl i dy ddillad arferol. Mae'r cawl ffacbys bron yn barod – ac mae e'n gwynto'n ffein.'

Ar ôl swper, rhoddodd Mam yr hen ddillad i gadw a mynd yn ôl at ei gwaith ar 'Y Rhestr'. Rhestr o gyfarwyddiadau ar gyfer Llinos oedd y rhain, yn cynnwys pethau fel:

Dim mwy nag 1 awr y dydd o wylio'r teledu

Dim bwydydd parod

Dim losin

Dim creision

Edrychodd Dad dros ei hysgwydd a dechrau darllen. 'Mae Llinos yn chwaer i ti,' meddai. 'Dwyt ti ddim yn credu ei bod hi'n abl i ofalu am y merched?'

'Wel, ydw . . . mwy neu lai,' atebodd Mam. 'Ond dwi'n awyddus iddi hi wneud pethau'n iawn, dyna'r cwbwl.'

'Paid â mynd dros ben llestri,' rhybuddiodd Dad gan fynd yn ôl at ei bapur newydd.

Gwenais i mi fy hun. Mam druan! Dim ond unwaith o'r blaen roedd Llinos wedi carco Seren a fi – a'r tro hwnnw roedd hi wedi llwyddo i dorri pob un o reolau twp Mam. Dim ots faint o reolau oedd ar rhestr Mam, ro'n i'n gwybod y byddai Llinos yn anwybyddu pob un ohonyn nhw. Roedden ni'n mynd i gael amser grêt gyda hi, ro'n i'n siŵr o hynny.

Yr unig beth oedd gen i i fecso amdano oedd Alys a'i chynllun hanner call a dwl.

Pennod 13

Cyrhaeddodd Llinos bnawn dydd Gwener. Gan ei bod braidd yn hwyr, roedd yn rhaid i Mam a Dad adael bron ar unwaith. Safodd Mam yn y cyntedd a rhoi cwtshys anferth i Seren a fi.

'O, fy mhlantos bach annwyl i!' llefodd. 'Beth wna i hebddoch chi? Dwi'n mynd i'ch colli chi'n ofnadwy!'

Gwenodd Dad arna i dros ysgwydd Mam, a rholio'i lygaid.

'Dere, Hafwen,' meddai. 'Os nad awn ni nawr, fydd dim lle yn y cae i godi'r babell cyn iddi hi dywyllu. Fel arall, bydd raid i ni dalu i aros mewn gwesty.'

Gollyngodd Mam ei gafael yn Seren a fi fel tasen ni ar dân! 'Na wnawn ni wir,' meddai'n bendant. 'Gwersylla fel o'r blaen, neu ddim o gwbl.'

Wrth gerdded at y drws ffrynt, roedd hi'n dal i siarad fel melin bupur. 'Hwyl i chi'ch dwy. Cofiwch fod yn blant da. Llinos – dwi wedi gadael rhestr o gyfarwyddiadau ar fwrdd y gegin. Fe ffonia i fory i weld sut mae pethau'n mynd. Hwyl fawr, ferched. Caru chi. Peidiwch ag anghofio . . .'

Ar hynny, gafaelodd Dad yn dynn yn ei braich a'i harwain at y car. Hyd yn oed wrth iddyn nhw yrru i ffwrdd, gallwn weld ei cheg yn symud – ond doedden ni ddim yn clywed 'run gair!

Yn y gegin, darllenodd Llinos 'Y Rhestr' yn ofalus cyn ei lynu ar ddrws yr oergell – a'r ysgrifen yn wynebu at i mewn!

'Fi yw'r bòs nawr,' meddai gan wenu ac estyn rhywbeth o'i bag. 'Pwy fyddai'n hoffi baryn o siocled?'

Waw! Doedd dim angen gofyn ddwywaith i Seren a fi! Roedd y penwythnos yn mynd i fod yn grêt – yn well na'r Nadolig, hyd yn oed!

Trueni bod un broblem fach yn dal i 'mecso i.

A'r funud nesaf, roedd y broblem honno'n curo ar y drws ffrynt.

'Haia, Alys,' meddai Llinos wrthi. 'Mae'n dda dy weld di eto. Hoffet ti faryn o siocled?'

Dwi ddim yn credu y byddai Llinos wedi

rhoi'r fath groeso i Alys tasai hi'n gwybod beth oedd ganddi ar y gweill ar ei chyfer . . .

Gan fod Llinos a Seren yn chwarae gêm, aeth Alys a fi i'm stafell i ac eistedd ar y gwely. 'Fe ddysgais i sawl peth adeg y busnes 'na gyda Miss Morgan,' dywedodd.

'Beth, felly?' holais. 'Taw syniad gwael yw busnesan ym mywyd personol dy dad?'

'Na, nid hynny,' atebodd Alys. 'Meddwl o'n i y byddai'n well i ni gymryd pethe'n arafach y tro hwn. Fe drefnwn ni fod Dad a Llinos yn cwrdd heno – jest am gwpwl o funudau – ac fe awn ni ati o ddifri bore fory.'

Ochneidiais yn drwm cyn gofyn, 'A sut wyt ti'n bwriadu trefnu iddyn nhw gwrdd heno?'

'Hawdd – bydda i'n aros fan hyn nes i Dad alw i ddweud bod te'n barod.'

'Ond ddaw e ddim draw – bydd e jest yn dy ffonio di, fel bob tro arall.'

'Croeso iddo ffonio – ond fydd hynny ddim yn gwneud llawer o les iddo fe.'

Wnes i ddim trafferthu gofyn i Alys am esboniad – ro'n i'n siŵr o gael gwybod yn hwyr neu'n hwyrach.

Rhyw ugain munud yn ddiweddarach, dechreuodd ffôn Alys ganu. Am y milfed tro, ro'n i'n grac gyda Mam a Dad am beidio â gadael i minnau gael fy ffôn fy hun – ond man a man i mi siarad â'r wal.

'Dad sy 'na,' meddai Alys gan wenu a phwyso botwm. 'Dwi am roi'r sbîcyr 'mlaen.'

'Helô?' meddai.

'Alys, mae'n amser te, iawn?' Roedd llais ei thad cyn gliried â phetai yn yr un stafell â ni.

'Helô?' meddai Alys eto, ychydig yn gryfach y tro hwn.

'Dad sy 'ma. Mae'n amser te, iawn?' Roedd ei lais yntau hefyd yn gryfach.

'Helô?' meddai Alys am y trydydd tro. 'Pwy sy 'na? Rhaid i chi siarad yn uwch.'

'DERE. ADRE. I. GAEL. TE.' Y tro hwn, gallwn daeru bod Gwyn yn sefyll wrth f'ymyl ac yn gweiddi yn fy nghlust.

Gwenodd Alys arna i cyn dweud i mewn i'r ffôn, 'Mae'n flin gen i, ond dwi ddim yn clywed gair. Bydd raid i chi ffonio'n ôl yn nes 'mlaen.' A diffoddodd y ffôn cyn i'w thad gael cyfle i ddweud gair arall.

'Wps!' meddai. 'Dyna drueni – mae e wedi mynd! Allwch chi ddim dibynnu ar y dechnoleg y dyddie 'ma!'

Fedrwn i ddim peidio â chwerthin, er na faswn i fyth yn ddigon dewr i chwarae tric fel'na ar fy rhieni i. Ond doedd dim gobaith o hynny – fe fydda i'n hen wraig cyn iddyn nhw adael i mi gael fy ffôn fy hun!

Ymhen rhyw ddau funud, roedd Jac, brawd bach Alys, yn curo ar ddrws y ffrynt. 'Mae Dad yn dweud wrthot ti am ddod adre i gael te,' meddai. 'Ac os byddi di'n chwarae'r tric yna gydag e eto, bydd e'n cadw dy ffôn oddi wrthot ti am chwe mis, reit?'

'Paid â becso,' sibrydodd Alys wrth adael. 'Mae Cynllun B yn barod gen i. Wela i di'n nes 'mlaen, iawn?'

Roedd hi'n ôl ymhen llai na hanner awr. Gafaelodd yn fy mraich, a 'nhynnu i at y cwpwrdd yn y garej lle roedd y ffiwsys trydan.

'Diolch byth, mae hwn 'run fath yn union â'r un yn ein tŷ ni,' meddai. 'Mae hynna'n gwneud pethe'n haws.'

Erbyn hyn, ro'n i'n dechrau teimlo'n nerfus. 'Beth yn union wyt ti'n wneud?' gofynnais. 'Fydd Mam a Dad ddim yn hapus os byddi di'n chwythu'r tŷ i ebargofiant!'

'Dwi ddim yn hollol dwp, ti'n gwybod,'

meddai Alys gan dynnu tafod arna i. Estynnodd i mewn i'r cwpwrdd a gwasgu'r swits a'r gair *Goleuadau* arno fe.

'Yr unig beth dwi wedi'i wneud yw switsio goleuadau'r tŷ bant. Wyt ti'n credu y bydd Llinos yn gwybod sut i'w cael nhw'n ôl?'

'Na fydd,' dywedais yn syth. 'Mae hi'n anobeithiol gyda stwff fel'na. Mae Mam wastad yn dweud ei bod yn gorfod talu am drydanwr dim ond i newid plwg!'

'Dyna beth o'n i'n obeithio,' atebodd Alys. 'Felly, pan fydd hi'n tywyllu, bydd raid i Llinos ofyn i Dad ddod draw i achub y dydd. Bydd hi mor ddiolchgar, ac yn awyddus i'w weld e eto fory!'

Do'n i ddim mor hyderus ag Alys y byddai hyn yn gweithio, ond – o'i gymharu â rhai o'i chynlluniau eraill – roedd hwn yn ymddangos yn eitha diniwed. Felly wnes i ddim dadlau, dim ond mynd yn ôl i'r tŷ i aros iddi dywyllu.

Yn nes ymlaen y noson honno, roedd Llinos, Seren, Alys a fi'n eistedd ar lawr y stafell fyw yn gwylio'r teledu. Ro'n i'n teimlo'n llawn dop ar ôl bwyta'r têc-awê Tseinïaidd gawson ni i swper, a'r tri phaced o greision a'r botel litr o lemonêd roedden ni wedi'u rhannu rhyngon ni.

Pwniodd Alys fi yn fy mraich. Hwn oedd yr arwydd i mi ddweud y frawddeg ro'n i wedi bod yn ei hymarfer yn gynharach yn y dydd.

'Mae hi braidd yn dywyll yma, on'd yw hi?' gofynnais yn ddiniwed.

Ond chymerodd Llinos ddim sylw. Daliai i syllu ar y teledu, a chynnig rhagor o greision i Seren.

Bum munud yn ddiweddarach, rhoddodd Alys gynnig arni. 'Mae hi'n tywyllu,' meddai. 'Ga i roi'r golau 'mlaen, Llinos?'

'Ie, grêt, diolch,' atebodd yn ddidaro.

Cododd Alys a gwneud sioe fawr o bwyso'r swits. 'Dyw e ddim yn gweithio,' meddai.

'Angen bwlb newydd, siŵr o fod,' meddai Llinos.

Aeth Alys i'r gegin a phwyso pob un o'r switsys, gan ddatgan yn uchel, 'Does dim un ohonyn nhw'n gweithio, Llinos. Beth wnawn ni?'

Cododd Llinos ar ei thraed gan ddweud, ''Sdim angen becso. Does dim byd allwn ni wneud heno ta beth. Mam a man i ni joio eistedd fan hyn yng ngolau cannwyll. Bydd e'n hwyl! Ble mae dy fam yn cadw'r canhwyllau, Megan?'

Doedd Alys a fi ddim wedi paratoi ar gyfer

sefyllfa fel hon, wrth gwrs. 'Ym . . . dwi ddim yn credu bod 'na ganhwyllau yma,' dywedais. 'Roedd Mam wedi bwriadu–'

Torrodd Alys ar fy nhraws gan ddweud, 'Dyw mam Megan ddim yn fodlon cael canhwyllau yn y tŷ. Mae hi'n credu eu bod nhw'n beryglus.'

'Ie, wel, mae hynna'n nodweddiadol o Hafwen,' meddai Llinos gan wenu. 'Ond beth wnawn ni? Dwi ddim yn awyddus i dreulio noson gyfan yn y tywyllwch. Wyt ti'n gwybod sut i gysylltu â thrydanwr, Megan? Er, mae'n amheus gen i a fydd unrhyw un yn fodlon dod mas yr adeg hon o'r nos.'

'Does dim angen i chi ffonio trydanwr,' meddai Alys. 'Fe a' i drws nesa i nôl Dad. Mae e'n wych gyda'r math yma o beth.'

'Wyt ti'n siŵr, Alys?' gofynnodd Llinos. 'Dwi ddim eisiau bod yn niwsans.'

'Fe fydd e wrth ei fodd,' atebodd Alys. 'Mae e wastad yn fodlon helpu unrhyw un.'

Ac yn wir, o fewn ychydig funudau, roedd Gwyn wrth y drws ac aeth yn syth at y cwpwrdd yn y garej. Cymerodd ryw ddwy eiliad i bwyso prif swits y goleuadau, gan oleuo pob stafell yn y tŷ. Curodd Llinos ei dwylo'n frwd, fel tasai Gwyn wedi gwneud rhyw dric hud a lledrith.

‘Dwi ddim yn deall y peth,’ meddai Gwyn. ‘Doedd dim rheswm o gwbl fod y swits wedi diffodd – ond cofiwch ddod yn ôl ata i os gewch chi broblem eto.’

Roedd Llinos yn wên o glust i glust. ‘Dwn i ddim beth ’nelen i hebddoch chi, wir,’ meddai’n frwd. ‘Diolch o galon, Gwyn!’

‘Dim problem,’ atebodd yntau, cyn troi am adref gan chwibanu’n hapus.

‘Wel wir, am ddyn ffein yw dy dad, Alys,’ meddai Llinos wrth gau’r drws ar ei ôl.

‘Glywaist ti hynna?’ sibrydodd Alys wrtha i. ‘Fe ddwedodd hi ei fod e’n “ddyn ffein”. Ac roedd Dad yn chwibanu – dyw e ddim ond yn gwneud hynny pan mae e’n hapus! Maen nhw’n amlwg yn hoffi’i gilydd – ry’n ni hanner ffordd yna, Meg! Dwi’n edrych ’mlaen at fory!’

Doedd gen i ddim syniad beth oedd hi’n ei gynllunio – gwell peidio gwybod, sbo. Byddai’r cyfan yn dod yn glir yn ddigon buan!

‘Mae’n hen bryd i mi fynd adre,’ meddai Alys gan gerdded at y drws. ‘Gobeithio gei di noson dda o gwsg – mae fory’n mynd i fod yn ddiwrnod prysur iawn!’

Pennod 14

Y bore wedyn, roedd Alys wrth y drws yn gynnar iawn. Daeth yn syth i mewn i'm stafell i a dechrau potsian gan symud pethau o un lle i'r llall a gwneud y lle'n anniben. Do'n i ddim yn hapus o gwbl.

'Os na wnei di esbonio'r cynllun mawr sy gen ti, wna i mo dy helpu di,' dywedais yn bendant.

'Iawn, iawn!' atebodd Alys.

'Beth?! Rwyt ti'n fodlon dweud y cyfan, heb ddadlau o gwbl?' gofynnais.

'Dadlau? Fi?!' A chwarddodd y ddwy ohonon ni.

'Reit – dyma'r syniad. Ry'n ni'n mynd i drefnu

dêt ramantus i Dad a Llinos. Bydd e'n berffaith . . .'

Torrais ar ei thraws a gofyn, 'A sut yn union wyt ti'n bwriadu trefnu'r fath beth? Sut wyt ti'n mynd i berswadio Gwyn i ofyn i Llinos fynd mas gydag e? Falle taw fi sy'n od, ond rhywsut dwi ddim yn gweld hyn yn gweithio o gwbl.'

'Dwi ddim yn gweld problem,' meddai Alys yn bwdlyd. 'Wrth gwrs ei fod e'n mynd i weithio. Dwi erioed wedi methu o'r blaen, yn naddo?'

Helô?

Oedd Alys yn sydyn wedi anghofio popeth oedd wedi digwydd dros y misoedd diwethaf? Beth am y diwrnod trychinebus gyda Gwyn a Miss Morgan?

Beth am yr adeg yng Nghaerdydd pan geisiodd gael gwared â sboner ei mam – cyn darganfod nad dyna oedd e wedi'r cwbl?

Beth am y gwyliau hanner tymor pan fu hi'n cuddio o dan fy ngwely am ddyddiau?

'Ta beth,' dywedais, 'allith Llinos ddim mynd mas ar ddêt. Falle'i bod hi'n anwybyddu pob un o reolau Mam, ond wnaiff hi byth gytuno i adael Seren a fi ar ein pennau'n hunain yn y tŷ. Byddai Mam yn siŵr o glywed am y peth rhywsut neu'i gilydd – a fyddai hi byth bythoedd yn maddau i Llinos.'

'Paid â becso,' meddai Alys gan wenu. 'Dwi wedi meddwl am hynna. Mae'r cyfan wedi'i drefnu. Fan hyn fydd y dêt ramantus.'

'Ond . . . sut . . ?'

'Gei di wybod yn nes 'mlaen,' meddai Alys yn ddidaro, gan gerdded i gyfeiriad y gegin a minnau'n ei dilyn fel ci bach. 'Am y tro, y cyfan sy raid i ni wneud yw perswadio Llinos i adael i ni'n dwy goginio swper heno.'

Yn y gegin, roedd Llinos yn brysur yn llenwi bowlen Seren â rhyw rawnfwyd nad o'n i erioed wedi'i weld yn ein tŷ ni. Roedd Seren yn wên o glust i glust.

''Drycha, Meg,' meddai. 'Mae Llinos yn glên! Dim uwd ych a fi i frecwast heddi!'

'Paid â sôn gair wrth dy fam, cofia,' meddai Llinos wrtha i.

'Faswn i ddim yn meiddio!' atebais. 'Mae dy gyfrinach di'n saff 'da fi!'

Pwniodd Alys fi yn fy mraich, i'm hatgoffa bod gen i rywbeth arall i'w ddweud.

'O, ie, Llinos,' dywedais, 'beth am i Alys a fi goginio swper i ni heno?'

'Pam byddech chi'n cynnig gwneud y fath beth?' holodd Llinos yn syn.

'Wel,' meddai Alys, 'prosiect ry'n ni'n wneud

yn yr Urdd yw e, ac mae angen i ni ymarfer.'

Doedd gan Alys na fi ddim gronyn o ddiddordeb mewn cymryd rhan yn y gystadleuaeth CogUrdd yn yr ysgol, wrth gwrs, ond roedd y syniad yn amlwg wedi creu argraff ar Llinos.

'Byddai hynny'n grêt!' meddai. 'Diolch yn fawr. Fel arall, byddwn i wedi archebu têc-awê arall.'

Ro'n i'n grac gydag Alys. Dwi wrth fy modd gyda bwyd Tseinïaidd, ac wrth gwrs dyw Mam byth yn fodlon i ni ei gael. Oedd gan Alys *unrhyw* syniad o'r aberth ro'n i'n gorfod ei gwneud drosti hi?

'Beth fydd ar y fwydlen, 'te?' holodd Llinos. 'Mae'n siŵr bod 'na ryseitiau blasus iawn wedi'u gosod yn y gystadleuaeth.'

Edrychais ar Alys am arweiniad, ond roedd hi'n brysur yn chwarae gyda Seren.

'Ym . . . ie . . . ry'n ni am iddo fod yn syrpréis,' dywedais o'r diwedd.

'Grêt! Dwi wrth fy modd 'da syrpréisys,' meddai Llinos.

Hmmm, meddyliais, *falle na fyddi di'n dweud hynny ar ôl heno!*

Pwniodd Alys fi yn fy mraich eto fyth.

'Mae Alys a fi am fynd drws nesa am 'chydig, os yw hynny'n iawn?' dywedais.

'Ie, wrth gwrs, bach,' atebodd Llinos. 'Wela i chi'n nes 'mlaen. Mae Seren a fi am chwarae gêm neu ddwy.'

Drws nesa, roedd Gwyn yn gwylio pêl-droed ar y teledu. Aeth Alys draw ato ac eistedd ar fraich ei gadair.

'Newyddion da, Dad,' meddai. 'Mae Llinos wedi dy wahodd di i swper heno.'

'Llinos? Pa Llinos?' holodd Gwyn.

'Llinos, modryb Megan. Welaist ti hi neithiwr pan est ti draw i sortio'r trydan.'

'O ie, ond pam mae hi am i mi fynd yno i swper?'

Dyma fy nghyfle mawr i! 'Mae hi'n awyddus i ddiolch am eich help,' dywedais.

'Wnes i ddim byd ond pwyso swits!' chwarddodd Gwyn. 'Prin 'mod i'n haeddu cael gwahoddiad i swper am gyn lleied â hynny!'

'Wel,' meddai Alys, 'mae Llinos yn berson . . . ym . . . hael ac . . . ym . . . croesawgar iawn.'

'Pwy arall fydd yno?' holodd Gwyn.

'Dim ond Megan, Seren a fi,' atebodd Alys.

'Feddylia i am y peth ar ôl i'r gêm 'ma orffen,' dywedodd Gwyn.

'Sori, Dad, ond dwi wedi derbyn y gwahoddiad ar dy ran di'n barod,' meddai Alys gan wenu'n ddiniwed. 'Ro'n i'n meddwl y byddet ti'n falch o gael rhywbeth heblaw pizza i swper. Wyth o'r gloch drws nesa – iawn?'

'Iawn! Bydd yn eitha neis cael rhywbeth gwahanol am newid. Fydda i yno. Nawr gadewch lonydd i mi weld gweddill y gêm 'ma mewn heddwch.'

* * *

Hanner awr yn ddiweddarach, roedd Alys a fi ar ein ffordd i'r siop gyda'r arian roedd Llinos wedi'i roi i ni i brynu bwyd.

'Beth allwn ni wneud?' holais. 'Dwi ddim yn gallu coginio dim byd heblaw ffa pob ar dost – a dyw hwnnw ddim yn bryd rhamantus iawn!'

'Nac ydy,' cytunodd Alys, 'rhaid i ni feddwl am rywbeth arall.'

'Beth am y nŵdls 'na fuost ti'n fwyta pan oeddet ti'n cuddio yn fy stafell i?' awgrymais. 'Does ond angen ychwanegu dŵr berwedig atyn nhw . . .'

'Ych a fi! Roedden nhw'n gwbl ffiaidd!' llefodd Alys.

Erbyn hyn, ro'n i'n dechrau danto. 'Wel, gan dy fod ti mor glyfar, beth am i ti awgrymu rhywbeth 'te?' dywedais.

Stopiodd Alys yn sydyn a throi tuag ata i. 'Mae 'na ddigonedd o letys yn eich gardd chi, yn does?' holodd.

Nodiais.

'Wel, 'na fe 'te. Gawn ni salad fel cwrs cynta, wedyn lasagne – gallwn ni brynu un parod, heb angen gwneud dim ond ei gynhesu – a hufen iâ i bwdin. Ac os bydd 'na rywfaint o arian ar ôl, gallen ni brynu potel o siampên. Hawdd!'

'Dwi'n falch fod y bwyd wedi'i sortio,' dywedais, 'ond mae 'na un broblem fawr ar ôl. Beth ddwedith Llinos pan fydd Gwyn yn troi lan amser swper, a hithau ddim hyd yn oed wedi'i wahodd e draw?'

'Dim byd,' atebodd Alys.

'*Dim byd*?!' llefais. 'Wyt ti'n credu bod Llinos, yn gyfleus iawn, yn mynd i anghofio nad yw hi wedi ei wahodd e?'

'Nac ydy, siŵr. Dyw hi ddim yn dwp. Ond mae hi'n berson clên, a fydd hi ddim am ypsetio'r dyn fu mor barod i'w helpu hi. Dyw hi ddim yn debygol o ddweud rhywbeth fel, "Beth y'ch chi'n wneud yma? Ewch o'ma, wir!" '

Fedrwn i ddim peidio â chwerthin – a chytuno gydag Alys, fel bob tro arall!

'Reit, mae popeth wedi'i sortio, felly,' meddai Alys. 'Bydd Llinos yn siŵr o ofyn beth sy'n mynd 'mlaen, ond ddim tra mae Dad yn eich tŷ chi. A does ond raid i bethe weithio am un noson. Bydd Mam yn clywed yn fuan iawn bod Dad wedi bod ar ddêt ramantus – a fydd hi ddim yn hapus!'

'Ond beth os *na* wnaiff hi glywed?' gofynnais.

Doedd dim rhaid i mi aros am ateb – roedd yr olwg ar wyneb Alys yn ddigon. Roedd hi'n mynd i wneud yn siŵr bod ei Mam yn clywed ar unwaith – dyna, wedi'r cwbwl, oedd holl bwynt y cynllun, a doedd Alys ddim yn bwriadu gadael dim byd i siawns.

Ddywedais i 'run gair. Doedd dim pwynt. Erbyn hyn, ro'n i wedi cael profiad helaeth o gynlluniau Alys. Roedd pob un ohonyn nhw wedi bod yn fethiant – ac ym mêr fy esgyrn ro'n i'n gwybod y byddai'r cynllun hwn eto'n drychinebus.

Yr unig beth allwn i ei wneud oedd bod o gwmpas i wneud yn siŵr nad oedd neb yn cael ei ladd.

Pennod 15

Roedd y ferch wrth y til yn yr archfarchnad yn glên iawn, ond doedd dim modd yn y byd i Alys a fi ei pherswadio i werthu potel o siampên i ni.

'Sori, ferched,' meddai, 'ond man a man i chi gyfadde nad y'ch chi'n agos at fod yn ddeunaw oed!'

Siaradodd Alys a fi 'run pryd yn union:

'I Dad mae e!'

'I Anti Llinos mae e!'

Chwarddodd y ferch. 'Gair o gyngor i chi,

ferched – y tro nesa, penderfynwch ar eich stori o flaen llaw!'

'Wel,' protestiodd Alys, 'mae'r ddwy ohonon ni'n iawn. Mae 'nhad i a modryb Megan yn mynd i . . .'

Gafaelodd y ferch yn y botel a'i gosod ar silff y tu ôl i'r til. ''Sdim gwahaniaeth 'da fi i bwy mae e – bydd raid iddo fe neu hi ddod yma i'w brynu eu hunain, iawn?'

Doedd dim pwynt dadlau, felly fe dalon ni am weddill y siopa a gadael yn dawel.

Aethon ni'n ôl i'n tŷ ni, a chadw'r bwyd yn yr oergell. Am ryw reswm, roedd Alys yn awyddus i ni fynd drws nesa'n syth wedyn. Doedd hi ddim yn fodlon dweud pam, wrth gwrs, felly dilynais hi i weld beth fyddai'n digwydd.

Anelodd Alys yn syth am gypyrddau'r gegin, gan chwilota am rywbeth. 'Aha! Dyma hi!' meddai o'r diwedd gan chwifio potel o siampên yn ei llaw.

'Dwyt ti ddim yn bwriadu dwyn honna?' gofynnais yn syn.

'Ydw, wrth gwrs – pam lai? Doedden ni ddim yn gallu prynu un, ac os yw heno'n mynd i fod yn ddêt ramantus, rhaid cael potel o siampên. Dwyt ti ddim yn cytuno?'

Dim ond un ar ddeg oed ydw i, meddyliais. *Beth wn i am ddêt ramantus?*

'Bydd dy dad yn siŵr o sylwi bod y botel wedi diflannu,' dywedais, 'ac wedyn fe fyddi di mewn trwbwl.'

'Na – mae hi yno ers blynyddoedd. A dweud y gwir, dwi'n credu taw Dad brynodd hi i Mam ar ei phen-blwydd rywbryd.'

'O, grêt,' dywedais yn sychlyd. 'Ar ei ddêt ramantus, mae dy dad yn mynd i yfed y siampên brynodd e i'w wraig. Syniad gwreiddiol iawn, rhaid cyfadde . . .'

'Rwyt ti'n iawn, sbo,' cyfaddefodd Alys, 'ond mae hyn yn argyfwng go iawn. Beth bynnag, dyw Dad yn gwybod dim byd am siampên. Fydd e ddim yn sylwi, dwi'n addo. Nawr, dos di i dynnu sylw Llinos i roi amser i mi guddio'r botel yn eich tŷ chi. Ble fyddai'n lle da, ti'n credu?'

'Dwi'n gwybod am un lle na fydd Llinos byth yn edrych,' chwarddais. 'Rho'r botel o dan y bag o sbigoglys organig yng ngwaelod yr oergell!'

* * *

Yn nes ymlaen, cynigiodd Llinos fynd â Seren, Alys a fi i'r dre. I ddechrau, aethon ni i'n hoff gaffi i gael siocled poeth gyda hufen a llwythi o falws melys ar y top. Roedd Seren ar ben ei digon – dyw Mam byth yn gadael iddi hi gael 'sothach' fel yna!

Wedyn aethon ni i siop ddillad trendi, i edrych ar y crysau-T. 'Ewch i ddewis bob o un, ferched,' meddai Llinos wrthon ni, 'ac fe a' i â Seren i chwilio am un iddi hithau. Trît bach i chi i gyd am fod mor ddidrafferth i'ch carco!'

'Waw! Wyt ti'n siŵr, Llinos? Diolch yn fawr iawn!' llefais wrth i Alys a fi ddiflannu rhwng y rhesi dillad.

Dwi'n caru Mam, ond trueni na fyddai hi'n debycach i'w chwaer mewn rhai pethau!

* * *

Ar ôl i ni gyrraedd adre, ro'n i ar bigau'r drain eisiau dechrau paratoi swper, ond roedd gan Alys syniadau eraill.

'Mae Jac yn aros gyda Mam heno,' meddai, 'a dwi wedi addo i Dad y byddwn i'n mynd ag e draw yno.'

Hmm, cyfleus iawn, Alys, dywedais wrtha i fy hun.

Aethon ni drws nesa i gasglu Jac, a mynd ag e

rownd y gornel i fflat Lisa. 'Dewch i mewn, ferched,' meddai Lisa, a doedd gen i ddim dewis ond dilyn Alys.

Cyn i mi hyd yn oed eistedd i lawr, dechreuodd Alys siarad.

'Gesia beth, Mam,' meddai. 'Mae Dad yn mynd mas ar ddêt heno.'

Pan mae'r math yma o sefyllfa'n digwydd mewn ffilmiau, mae'r fam yn rhoi'i phen yn ei dwylo ac yn beichio crio'n ddramatig, gan ddweud pethau fel: '*Sut gall e wneud hyn i mi?*' a '*Dyw e ddim yn fy neall i o gwbl!*' a '*Dwi'n ei garu fe – dwi wastad wedi'i garu fe!*'

Ond beth wnaeth Lisa? Chredwch chi ddim, ond dechreuodd chwerthin fel ffŵl!

'Dy dad? Mas ar ddêt? Dwi ddim yn credu hynny, rhywsut!' dywedodd.

'Pam lai?' gofynnodd Alys yn bigog. 'Mae e'n ddyn golygus. Mae hyd yn oed ein hathrawes ni wedi dweud hynny.'

Syllais yn gas arni hi. Roedd ein hathrawes wedi dweud sawl peth am Gwyn, ond chlywais i mohoni'n dweud ei fod yn ddyn golygus, chwaith!

Doedd Lisa'n amlwg ddim yn becso pam byddai Miss Morgan yn dweud unrhyw beth am

Gwyn. 'Wel, falle'i fod e'n reit olygus yn ei ffordd ei hun,' meddai. 'Ond dyw e ddim wir y teip i fynd mas ar ddêt, nagyw?'

'Mae'n amlwg nad wyt ti'n ei 'nabod yn dda iawn, felly, Mam,' meddai Alys yn grac. '*Mae* ganddo fe ddêt heno, i ti gael gwybod. Mae'n cael swper rhamantus gyda Llinos, modryb Megan, ac yn edrych 'mlaen. A dweud y gwir, dyw e ddim wedi siarad am ddim byd arall drwy'r bore.'

'Wel, pob lwc iddo fe,' meddai Lisa. 'Gobeithio gaiff e noson wych. Nawr 'te, oes rhywun eisiau diod?'

Atebodd Alys dros y ddwy ohonon ni. 'Na, dim diolch. Mae ganddon ni bethau pwysig i'w gwneud. Welwn ni di fory.'

Wrth gerdded yn ôl i'n tŷ ni, do'n i ddim yn gwybod beth i'w feddwl. Doedd Lisa ddim yn swnio'n eiddigeddus o gwbl – ac os felly, roedd y cynllun wedi methu cyn dechrau, hyd yn oed! Falle y gallwn i roi stop ar y cyfan cyn ei bod yn rhy hwyr . . .

'Doedd dy fam ddim yn becso rhyw lawer am ddêt dy dad, nagoedd?' dywedais yn ddidaro.

'Doedd hi ddim am ddangos ei theimladau,' atebodd Alys. 'O'n blaenau ni, mae hi'n ymddwyn yn cŵl, ond y tu mewn dwi'n siŵr ei bod hi'n corddi. Bydd yn meddwl am y peth drwy'r nos, a fory – ar ôl clywed noson mor lwyddiannus oedd hi – bydd hi'n mynd yn honco bost. Gei di weld 'mod i'n iawn!'

Torrais ar ei thraws a dweud, 'Ond beth os *na* fydd heno'n llwyddiannus? Beth wedyn?'

'Does dim pwynt i ni fecso am hynny. Fe *fydd* hi'n noson lwyddiannus, dwi'n siŵr o hynny. Nawr 'te, rhaid i ni frysio. Mae 'na lot i'w wneud.'

Pennod 16

Ro'n i wedi cymryd yn ganiataol y bydden ni'n mynd 'nôl i'n tŷ ni i ddechrau paratoi swper. Ond roedd gan Alys gynlluniau eraill, wrth gwrs.

'Rhaid i mi fynd i dŷ Dad gynta,' meddai, 'i nôl 'chydig o stwff.'

'Pa stwff?' holais.

Erbyn hyn, roedd Alys hanner ffordd lan y staer. 'Jest stwff,' meddai. 'Gei di weld yn y funud.'

Dilynais hi i mewn i'w stafell wely.

Estynnodd Alys ei theclyn sythu gwallt, a bag mawr o glipiau ac addurniadau gwallt. Yna bu'n chwilota drwy'r droriau am bob un tamed o golur oedd ganddi hi, a gosododd y cyfan ar y gwely.

'Does gen i ddim llawer,' ochneidiodd. 'Oes gen ti unrhyw beth i'w ychwanegu?'

'Dim gobaith!' dywedais gan ysgwyd fy mhen. 'Rwyt ti'n gwybod cystal â fi sut un yw Mam – "*dwi ddim yn credu y dylai merched un ar ddeg oed wisgo colur*"!'

'Na merched – beth yw ei hoedran hi nawr? – tri deg saith oed chwaith, g'lei!'

Fedrwn i ddim peidio â chwerthin – dwi ddim yn credu bod Mam erioed wedi bod yn berchen ar lipstig, heb sôn am unrhyw fath arall o golur!

'Beth yw'r diddordeb 'ma mewn gwisgo colur ta beth?' gofynnais. 'Dy'n ni ddim yn mynd mas i unrhyw le – yn y gegin yn paratoi bwyd fyddwn ni, cofio?'

'Nid i fi mae e, twpsyn!' meddai Alys. 'Nid fi sy'n mynd ar ddêt ramantus, nage?'

'Hmm,' dywedais gan afael mewn potyn bach o stwff glas. 'Byddai hwn yn berffaith ar gyfer dy dad – mae e'r un lliw yn union â'i lygaid!'

'Ha ha, doniol iawn,' meddai Alys yn sychlyd.

'Rwyt ti'n gwybod yn iawn taw ar gyfer Llinos mae e.'

'Ond pam?' holais. 'Dyw Llinos ddim angen yr holl golur 'ma – mae hi'n ddigon pert fel mae hi.'

'Rwyt ti'n swnio'n debycach i dy fam bob dydd,' meddai Alys gan gasglu'r gwahanol bethau a'u rhoi mewn clamp o fag mawr. 'Cofia hyn – mae pawb yn edrych yn well gyda 'chydig o golur, pa mor bert bynnag ydyn nhw.'

'Nawr pwy sy'n swnio'n debyg i'w mam?' gofynnais.

Dechreuodd y ddwy ohonon ni chwerthin a chytuno nad fydden ni byth bythoedd yn troi'n debyg i'n mamau!

Mewn gwirionedd, ro'n i'n edrych 'mlaen at gael arbrofi gyda'r colur heb gael Mam yno'n twt-twtian a dweud 'mod i'n gwastraffu fy mywyd.

'Ond beth ddwedwn ni wrth Llinos?' gofynnais. 'Allwn ni ddim dweud, "Hei, Llinos, gwell i ti wisgo tipyn o golur, jest rhag ofn i ryw dywysog golygus alw heibio heno", yn na allwn?'

'Ha ha!' atebodd Alys. 'Go brin y gallwn ni alw Dad yn "dywysog golygus"!'

Ac wrth feddwl am y peth, dechreuodd y

ddwy ohonon ni rolio chwerthin ar y gwely.

Yn sydyn, cododd Alys ar ei heistedd ac edrych ar ei watsh. 'O mam bach!' llefodd. 'Mae'n hen bryd i ni fynd drws nesa. Mae 'na gymaint i'w wneud. Dere, Meg!'

* * *

Doedd Llinos ddim yn hapus iawn pan awgrymodd Alys falle y byddai'n hoffi i ni roi gweddnewidiad iddi hi – a do'n i ddim yn gweld bai arni.

'Diolch am y cynnig,' meddai, 'ond dwi'n ddigon hapus fel rydw i.'

'Rwyt ti'n edrych yn grêt,' meddai Alys yn wên-deg, 'ond mae Meg a fi'n gorfod rhoi gweddnewidiad i rywun – a does 'na neb arall i gael. Mae Seren yn llawer rhy ifanc.'

'Ond pam y'ch chi'n gorfod gwneud hynny?' holodd Llinos mewn penbleth.

'Ymm . . . prosiect yw e,' meddai Alys.

'Ie, ar gyfer y Clwb Ieuenctid,' ychwanegais innau – tipyn o brên-wêf a dweud y gwir.

'Wel wir,' meddai Llinos, 'rhaid bod pethe wedi newid er pan o'n i'n mynd i'r Clwb Ieuenctid erstalwm. Bryd hynny, roedden ni'n chwarae pŵl a thennis bwrdd a–'

'O ydyn,' cytunodd Alys. 'Ry'n ni'n gwneud pob math o weithgareddau nawr. Yr wythnos ddiwetha fe fuon ni'n rafftio dŵr gwyn. Roedd e *mor* gyffrous!'

Ochneidiais. Doedd Alys ddim yn gwybod pryd i stopio . . .

Diolch byth, roedd Llinos yn ddigon parod i adael i ni arbrofi gyda'r colur. 'Man a man i chi ddechre nawr, sbo,' meddai. 'Bob eiliad sy'n mynd heibio, dwi'n mynd yn hŷn a 'nghroen i'n fwy crebachlyd!'

Alys wnaeth y rhan fwyaf o'r gwaith, a da o beth oedd hynny – fyddai gen i ddim syniad ble i ddechrau. Fy rôl i oedd pasio'r gwahanol frwsys i Alys, a nôl gwlân cotwm tamp pan oedd rhywbeth yn mynd o'i le. Fe synnech chi sawl gwaith ddigwyddodd hynny!

Ymhen hir a hwyr, safodd Alys yn ôl i edmygu ei gwaith – a syllodd Seren a fi mewn rhyfeddod ar Llinos.

'Ga i weld fy hun yn y drych nawr?' gofynnodd.

'Na,' atebodd Alys yn bendant. 'Dwi ddim wedi gorffen yn iawn eto. Dwi am sythu'ch gwallt chi nawr os ga i?'

'Na, dim diolch, Alys,' meddai Llinos. 'Dwi'n hoffi 'ngwallt cyrliog, a dwi ddim yn bwriadu cael ei sythu – hyd yn oed ar gyfer y prosiect!'

'Ond . . .'

'Gad e nawr, Al,' dywedais. 'Mae gwallt Llinos yn edrych yn grêt fel mae e.'

'Iawn,' meddai Alys yn anfoddog gan sefyll yn ôl i edrych ar Llinos. 'Beth wyt ti'n feddwl, Meg?'

Do'n i ddim yn gwybod beth i'w ddweud. Roedd Llinos yn edrych yn wahanol – ac yn annhebyg iawn iddi hi ei hun.

Wrth i Alys estyn drych i Llinos, achubodd Seren y dydd trwy ddweud 'Llinoth yn bert!'

Chwarddodd Llinos. 'Wel, 'na fe 'te. Os yw Seren yn hapus, rydw innau'n hapus hefyd. Diolch, ferched! Nawr 'te, gan eich bod chi wedi gwneud jobyn mor dda, byddai'n drueni i ni aros yn y tŷ heno. Beth am i ni i gyd fynd i lawr i'r dre i gael swper?'

O na! Gallai hyn ddifetha'n holl gynlluniau ni! meddyliais. *Beth wnawn ni?*

'Ond ni'n dwy sy'n gwneud swper heno,' protestiais. 'Mae popeth yn barod . . .'

'Paid â becso am hynny,' meddai Llinos. 'Gallwch chi gadw'r bwyd a chael pryd yn barod erbyn i dy rieni gyrraedd adre nos fory. Byddai'n syrpréis hyfryd iddyn nhw.'

Llyncais yn galed. Yn sicr, fe fyddai'n syrpréis i Mam taswn i'n gosod lasagne parod ar y bwrdd o'i blaen! Byddai hi'n sicr yn honco bost, ac yn mynd 'mlaen a 'mlaen am oriau am y 'sothach' sy mewn bwydydd o'r fath. Do'n i ddim yn fodlon cymryd y risg.

A beth bynnag am hynny, beth am ddêt ramantus Llinos a Gwyn? Edrychais ar Alys mewn panig . . .

'Diolch am y cynnig,' meddai hithau dan wenu. 'Ond ry'ch chi wedi bod mor garedig yn mynd â ni i'r dre, a phrynu bob o grys-T i ni. Bydden ni wir yn hoffi dangos ein gwerthfawrogiad trwy baratoi swper heno.'

Ro'n i'n teimlo *mor* euog. Roedd Alys yn llygad ei lle – roedd Llinos *wedi* bod yn garedig ac yn hael, a'n ffordd ni o dalu'n ôl iddi hi oedd chwarae hen dric cas a threfnu dêt nad oedd hi'n gwybod dim amdani.

'Wel wir,' meddai Llinos, 'mae merched ifanc y dyddie hyn yn wahanol iawn i fel oedden ni erstalwm! Byddai Hafwen a fi wedi neidio ar y cyfle i gael noson mas! Diolch yn fawr – dwi'n edrych 'mlaen at y wledd!'

'Grêt!' dywedodd Alys. 'Fe awn ni i baratoi

nawr, a gadael i chi orffwys am sbel.'

'Pam yn y byd y byddwn i eisiau gorffwys?' holodd Llinos mewn penbleth.

'Wel, gallech chi jest ymlacio am sbel – i roi cyfle i'r colur setio'n iawn,' atebodd Alys gan roi rhyw chwerthiniad bach ffals.

'Iawn, 'te, Seren,' meddai Llinos. 'Fe awn ni i wylio'r teledu – dim ond tair awr ry'n ni wedi'i wylio heddiw.'

'Hwrê! Mwy o deledu!' gwaeddodd Seren.

Er taw dim ond un ar ddeg oed ydw i, y funud honno ro'n i'n teimlo'n hen iawn. Mae bywyd cymaint symlach pan y'ch chi'n ddim ond tair oed.

Pennod 17

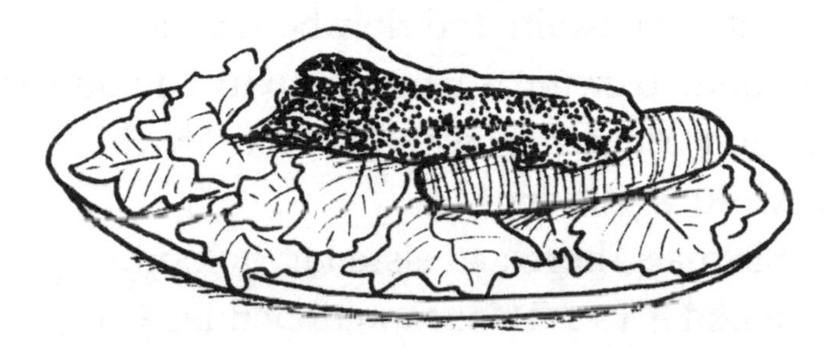

Treuliodd Alys a fi oesoedd yn paratoi'r stafell fwyta, gan ddefnyddio lliain bwrdd lês a napcynau roedd hi wedi'u 'benthyg' o drws nesa. Estynnais lestri gorau Mam o'r cwpwrdd, a'r cyllyll, ffyrc a llwyau arian roedd hi a Dad wedi'u cael yn anrheg priodas. Ar ôl i ni osod y bwrdd i ddau, es i'r ardd i gasglu ychydig o flodau a'u rhoi mewn fas fach bert. Roedden ni wedi bwriadu rhoi cannwyll ar ganol y bwrdd – ond cofiais jest mewn pryd ein bod wedi dweud wrth Llinos bod Mam yn gwrthod cael canhwyllau yn y tŷ!

Roedden ni wedi gorfodi Llinos i addo na fyddai hi'n dod i mewn i'r stafell – fel arall, byddai wedi holi pam taw dim ond lle i ddau oedd ar y bwrdd. Ond, yn anffodus, sleifiodd

Seren i mewn heb i ni ei gweld.

Do'n i ddim yn becso rhyw lawer – wedi'r cwbl, dyw Seren ddim yn gallu cyfri eto – ond fe sylwodd ar unwaith fod rhywbeth o'i le. Cerddodd o gwmpas y bwrdd, cyffwrdd un sedd a dweud 'Megan', a dweud 'Llinoth' wrth gyffwrdd yr ail sedd.

'Lle mae Theren yn eistedd?' holodd.

Roedd Alys a fi eisoes wedi penderfynu y byddai Seren yn difetha unrhyw siawns o 'ddêt ramantus', ac wedi cynllunio beth i'w wneud gyda hi.

'Mae gan Meg a fi syrpréis i ti,' meddai Alys gan blygu i lawr i'r un lefel â Seren. 'Yn lle swper heno, rwyt ti'n mynd i gael peth o'r brecwast 'na gest ti bore 'ma – fyddet ti'n hoffi hynna?'

'Iymi iymi!' meddai Seren, gan rwbio'i bola.

'Ac ar ôl hynna fe gei di fynd i'r gwely'n gynnar i wylio llwyth o DVDs. Dyna hwyl, yntê?'

'Hwrê!' llefodd Seren.

Ochneidiais yn drwm. Tasai Mam yn gwybod bod Seren yn gorfod mynd i'r gwely heb gael 'swper go iawn', byddai'r byd ar ben! Roedd yn rhaid i mi wneud yn siŵr na fyddai hi byth yn dod i wybod – ond sut?

Er bod 'na oriau i fynd eto cyn y swper

rhamantus, roedd popeth yn siop siafins yn barod . . .

* * *

Pan oedd Seren wedi cael llond ei bol o'r grawnfwyd melys, ac yn cwtshio yn ei gwely gyda llwyth o DVDs, dechreuodd Alys a fi baratoi'r salad fel cwrs cyntaf. Ro'n i eisoes wedi bod yn yr ardd yn codi letys, ac es i â'r dail draw at y sinc i'w golchi.

'Twt lol!' ebychodd Alys. ''Sdim angen gwastraffu amser yn golchi'r letys – mae popeth o'ch gardd chi'n organig, felly mae hi'n gwbl saff i'w bwyta fel mae hi.'

Wnes i ddim dadlau. Roedd gen i ormod ar fy meddwl yn barod heb fecso am y letys.

Gosodais y dail ar ddau o blatiau gorau Mam – ond roedden nhw'n edrych yn unig iawn heb unrhyw beth arall i fynd gyda nhw. Buon ni'n chwilota yn yr oergell, ond doedd dim byd addas yno. Yn sydyn, cofiodd Alys am y bacwn a'r selsig roedd Llinos wedi'u prynu y bore hwnnw.

'Perffaith!' meddai. 'Welais i rysáit mewn cylchgrawn ryw dro am salad bacwn a selsig.'

Do'n i erioed wedi clywed am y fath beth, ond pwy o'n i i ddadlau? Nid fi oedd yn gorfod ei fwyta!

Estynnais y badell ffrio a dechrau coginio'r bwyd. Penderfynais goginio'r cyfan – yn un peth, ro'n i bron â starfo, a doedd fiw i Mam ddod o hyd iddo neu byddai'n sylweddoli bod Llinos wedi torri'i rheolau llym ar fwyta 'sothach' llawn braster.

Erbyn i Alys a fi lenwi'n boliau, doedd fawr ddim o'r bacwn na'r selsig ar ôl! Torron ni'r gweddill yn ddarnau bach a'u trefnu ar ben y letys. Yn anffodus, roedd y ddau blataid yn edrych braidd yn drist – ac yn ddim byd tebyg i unrhyw beth welais i erioed mewn tŷ bwyta!

Roedd Alys ar fin eu gosod yn yr oergell pan glywais gloch y drws ffrynt yn canu. Yn sydyn, roedd gen i fola tost a phen tost – tybed allwn i ddefnyddio hynny'n esgus i fynd i'r gwely mas o'r ffordd?

Ond ches i ddim cyfle – roedd Alys wedi gafael yn fy mraich a 'nhynnu i mewn i'r stafell fyw at Llinos. Rhoddodd bwniad bach i mi, a dywedais innau'r geiriau ro'n i wedi bod yn eu hymarfer yn fy mhen.

'Ymm . . . Llinos? Fyddet ti'n fodlon ateb y

drws, os gweli di'n dda? Ry'n ni'n dwy braidd yn brysur.'

'Dim problem,' atebodd gan neidio ar ei thraed. Pipiodd Alys a fi drwy ddrws y stafell fyw i weld beth fyddai'n digwydd nesa.

'O, haia Gwyn,' meddai Llinos wrth agor y drws. 'Wyt ti'n chwilio am Alys? Mae hi jest . . .'

Roedd golwg ddryslyd ar wyneb Gwyn. 'Na, dwi'n . . .' Chwarddodd yn sydyn a dweud, 'O, jocan wyt ti, ife? Ha ha, doniol iawn!'

Ond doedd Llinos ddim yn chwerthin. Switsiodd y goleuadau 'mlaen yn y cyntedd a dweud, 'Mae popeth yn gweithio'n grêt, fel y gweli di.'

'Dwi'n falch o glywed,' meddai Gwyn.

Ddywedodd neb air am amser hiiiir, ac erbyn hynny roedd Alys a fi bron â marw o embaras. O'r diwedd, gofynnodd Llinos i Gwyn ddod i mewn.

'Ie, pam lai?' atebodd. 'Diolch yn fawr.'

'Ti'n gweld?' sibrydodd Alys wrtha i. 'Ddwedais i y byddai popeth yn iawn, on'dofe?'

Symudodd y ddwy ohonon ni i ffwrdd o'r drws, a daeth Llinos a Gwyn i mewn i'r stafell. Tynnodd Llinos wyneb arna i – roedd hi'n amlwg yn ceisio dweud *Beth yn y byd sy'n mynd*

’mlaen? Ond cadwais i fy mhen i lawr ac esgus ’mod i heb sylwi.

Bu’r pedwar ohonon ni’n eistedd mewn tawelwch am amser hir eto – roedd e’n deimlad ofnadwy! Yn y diwedd, roedd yn *rhaid* i mi ddweud rhywbeth.

‘Falle byddai Gwyn yn hoffi rhywbeth i’w yfed,’ awgrymais. ‘Mae ’na sudd oren yn yr oergell.’

‘Syniad da, Meg,’ meddai Llinos. ‘Dere â bob o wydraid i bawb.’

Cymerais fy amser yn y gegin, gan dywallt y sudd oren yn *aaaraf* i mewn i bedwar gwydryn, ac ychwanegu iâ bob yn giwb ar y tro. Rhoddais y cyfan ar hambwrdd a’u cario’n ofalus i mewn i’r stafell fyw.

Wrth sipian eu diodydd, roedd Llinos a Gwyn yn dweud rhyw bethau twp fel, ‘*Mae hwn yn sudd hyfryd*,’ ac ‘*Ydy, mae e – fy ffefryn o bell ffordd*,’ ac ‘*Mae hwn yn llawer mwy blasus na’r sudd sy’n cynnwys darnau bach o oren*,’ ac ‘*O, ydy, dwi’n cytuno’n llwyr . . .*’

Ar ôl trafodaeth hir a diflas am rinweddau gwahanol fathau o sudd oren, dechreuodd Llinos a Gwyn drafod – o bopeth dan haul! – papur tŷ bach! Ddylai’r rholyn gael ei osod gyda'r darn rhydd yn wynebu at i mewn, neu at allan? Wel, dwi erioed wedi bod ar ddêt ramantus, ond os ca i gyfle ryw dro dwi'n mawr obeithio y byddwn ni'n siarad am rywbeth tipyn mwy diddorol na sudd oren a phapur tŷ bach!

Fedrwn i ddim diodde aros yn y stafell am eiliad yn rhagor. Codais a mynd i'r gegin, gan obeithio y byddai Alys yn fy nilyn. Doedd dim rhaid i mi aros yn hir. O fewn rhyw ugain eiliad roedd Alys yn sefyll wrth f'ochr.

'Ydyn nhw'n dal i siarad am bapur tŷ bach?' gofynnais.

'Nad ydyn,' atebodd Alys gan bwffian chwerthin. 'Maen nhw'n trafod rhywbeth *llawer* mwy diddorol – sut i gael gwared â'r stwff du 'na ar gyrten y gawod!'

'Sgwrs ramantus iawn,' dywedais gan chwerthin.

'Paid â becso – mae hi'n gynnar eto,' meddai Alys.

Yn sydyn, do'n i ddim yn teimlo fel chwerthin. Roedd yr holl beth mor bisâr!

'Beth nesa?' holais. 'Sut yn union ry'n ni'n mynd i symud o drafodaeth am bapur tŷ bach a llwydni ar gyrten y gawod i bryd rhamantus i ddau? Mae Llinos yn methu deall pam nad yw

Gwyn yn mynd adre a gadael i ni gael ein swper, ac mae Gwyn yn pwslo pam fod Llinos wedi'i wahodd i swper er bod dim golwg o fwyd yn unman!'

'Paid â becso,' meddai Alys. 'Bydd popeth yn gweithio mas yn y diwedd. Bydd un ohonyn nhw'n cracio'n hwyr neu'n hwyrach – Dad, yn fwya tebyg. Mae e'n bownd o fod ar glemio, felly unrhyw funud nawr bydd e'n sôn am fwyd. Bydd Llinos yn rhy boléit i beidio'i wahodd e i aros i swper, a phan fyddan nhw'n mwynhau'r pryd blasus fyddwn ni wedi'i baratoi iddyn nhw, fydd neb yn becso beth ddigwyddodd. Mae'r cyfan yn syml, dwi'n addo. Yn syml iawn.'

'Syml.' Y gair erchyll yna eto. Dylai fod rhyw gyfraith i rwystro pobl rhag ei ddweud.

Pennod 18

Aeth Alys a fi'n ôl i'r stafell fyw a rhannu un o'r cadeiriau esmwyth. Erbyn hyn, roedd Gwyn a Llinos yn trafod costau parcio yn Aberystwyth, o'u cymharu â Chaerdydd a Bangor. Roedd y sgwrs mor ddiflas nes gwneud i mi deimlo'n gysglyd. A dweud y gwir, byddai'n dda gallu cwympo i gysgu a deffro pan oedd yr hunllef hon ar ben.

Ymhen sbel, sylwais fod Gwyn ar bigau'r drain, yn symud ei draed, yn ailosod ei hun ar y soffa, ac yn edrych ar ei watsh sawl gwaith.

Roedd Llinos hefyd yn ymddwyn yn ddigon od, gan chwarae gyda'i gwydryn gwag a hymian yn dawel iddi'i hun.

Heblaw am drafod sudd oren, papur tŷ bach, y ffordd orau o lanhau'r stwff du oddi ar gyrten y gawod, a chostau parcio ym mhob tref a dinas yng Nghymru, roedden nhw hefyd wedi siarad am y tywydd, tennis, garddio . . . a sawl pwnc *hynod* ddiddorol arall.

Yn sydyn, dechreuodd Gwyn sniffio'r aer, fel ci bach yn chwilio am rywbeth roedd e wedi'i golli. Rhaid ei fod yn gallu arogli'r bacwn a'r selsig roedd Alys a fi wedi'u coginio'n gynharach.

'Mae rhywbeth yn gwynto'n dda,' meddai.

'Mae Megan ac Alys wedi bod yn brysur – nhw sy'n coginio swper heno,' meddai Llinos.

'Dwi'n edrych 'mlaen yn fawr,' meddai Gwyn. 'Dwi bron â llwgu, a dweud y gwir. Peidiwch â dweud wrtha i beth sydd i swper – dwi'n hoffi cael syrpréis.'

Syllodd Llinos yn syn ar Gwyn, ac yna arnon ni'n dwy. Roedd hi'n amlwg eisiau gofyn *Beth yn y byd sy'n mynd 'mlaen?* ond ddywedodd hi 'run gair.

Ro'n i'n teimlo mor euog nes codi o'r gadair a rhuthro i'r gegin – a dilynodd Alys fi. Oddi yno, roedden ni'n clywed llais Llinos yn dweud, 'Ymm . . . Gwyn . . . tybed fyddet ti'n ymm . . .

hoffi aros i gael swper gyda ni?'

'Wel, diolch yn fawr,' atebodd yntau, mewn rhyw lais dieithr.

Druan bach, rhaid ei fod wedi drysu'n llwyr. Cyn belled ag y gwyddai, roedd Llinos wedi estyn gwahoddiad iddo oriau'n ôl, felly pam byddai hi'n gofyn eto? Ond wedyn, roedd e'n dad i Alys ers un mlynedd ar ddeg, ac os oedd gronyn o synnwyr cyffredin ganddo dylai fod wedi amau bod ei annwyl ferch yn gyfrifol mewn rhyw ffordd neu'i gilydd . . .

Roedd Alys ar ben ei digon. 'Wedes i, 'n do?' meddai. 'Roedd un ohonyn nhw'n siŵr o gracio'n hwyr neu'n hwyrach. Nawr 'te, rhaid i ni fwrw 'mlaen cyn iddyn nhw ailfeddwl. Dos i ofyn iddyn nhw ddod at y bwrdd.'

Doedd Llinos ddim yn edrych yn hapus o gwbl. 'Dwi eisiau gair gyda ti, Megan,' meddai. 'Nawr, os gweli di'n dda.'

'Iawn – yn y funud,' atebais. 'Dwi braidd yn brysur ar hyn o bryd.'

'*Nawr* ddwedais i . . .'

Gan esgus 'mod i heb ei chlywed, trois at y ddau a dweud, 'Ddewch chi at y bwrdd, os gwelwch yn dda? Mae swper yn barod.'

Erbyn hyn, roedd Llinos a Gwyn wedi

sylweddoli bod rhyw gynllun ar waith, ond ddywedon nhw 'run gair, dim ond codi a 'nilyn i i'r stafell fwyta.

Dwi'n gwybod nad oedden ni'n bwriadu lladd neb, na dim byd felly, ond yn sydyn ro'n i'n teimlo *mor* euog. Er 'mod i'n gwenu wrth ddangos i'r ddau ble i eistedd, roedd fy llaw'n crynu fel deilen.

Syllodd Llinos a Gwyn ar y bwrdd oedd wedi'i osod mor hyfryd i ddau berson. 'Pam nad y'ch chi'ch dwy'n bwyta hefyd?' gofynnodd y ddau gyda'i gilydd, fel parti llefaru.

Ro'n i wedi bod yn ymarfer beth i'w ddweud, ond rhywsut roedd y geiriau'n glynu yn fy ngwddw. 'Ymm . . . wel . . . roedd Alys â fi bron â llwgu, ac . . . ymm . . . fe gawson ni swper cynnar . . . ac roedd Seren wedi blino felly cafodd hi fwyd cyn mynd i'w gwely . . . felly . . . ymm . . . dim ond swper i ddau roedd yn rhaid i ni wneud.'

Roedd wynebau Llinos a Gwyn yn bictiwr, ond o leia fe eisteddon nhw i lawr heb brotestio.

Daeth Alys i mewn yn cario dau blât, a'u gosod yn ofalus o'u blaenau. 'Dyma'r cwrs cynta,' cyhoeddodd. 'Joiwch!'

Wrth i Llinos a Gwyn syllu ar eu platiau,

doedden nhw ddim yn edrych yn rhy hapus. Do'n i ddim yn eu beio o gwbl. Erbyn hyn roedd y letys yn llaith a llipa, a'r bacwn a'r selsig wedi'i orchuddio â saim gwyn, oer. Ych a fi! Ond chwarae teg i'r ddau, dechreuon nhw fwyta heb wneud ffws.

Aeth Alys a fi'n ôl i'r gegin, a chuddio y tu ôl i'r drws i wrando. Am sbel, doedd dim byd i'w glywed ond y cyllyll a ffyrc yn crafu ar y platiau, a sŵn gwichlyd wrth i'r ddau gnoi'r dail llaith. Doedd e ddim yn brofiad pleserus, ond o leia roedd popeth yn mynd yn eitha da.

Yna, yn sydyn, daeth sgrech annaearol o gyfeiriad y stafell fwyta.

'YYYYCCCHHH! Beth yn y byd yw hwn? Mae e'n gwbl ffiaidd! Ewch ag e o'ma!'

Rhedodd Alys a fi i mewn i'r stafell fwyta. Roedd Llinos yn crynu mewn cornel fel tasai rhyw anghenfil yn y stafell, a Gwyn yn defnyddio'i gyllell a'i fforc i chwilota yng nghanol gweddillion y salad ar blât Llinos.

'Dyma ni,' meddai gan godi rhywbeth ar ei fforc. 'Dim ond malwoden fach yw hi.'

'*Dim ond* malwoden?' sgrechiodd Llinos.

'Wel, dyw e ddim yn brofiad neis iawn, dwi'n cyfadde,' meddai Gwyn, 'ond wnaiff hi ddim drwg i ti. Beth bynnag, mae 'na rywbeth gwaeth na dod o hyd i falwoden yn dy salad.'

'Beth yw hynny?' holodd Llinos.

'Dod o hyd i *hanner* malwoden,' chwarddodd Gwyn.

Llwyddodd Llinos i wenu'n wan, ond buan y diflannodd y wên wrth i Gwyn ddweud yn ddifrifol, 'O diar – a sôn am hanner malwoden . . !'

Roedd Llinos yn edrych fel tasai hi ar fin llewygu, felly prysurodd Gwyn i ychwanegu, 'Dim ond jocan o'n i! Mae popeth yn iawn!'

Cipiodd Llinos un o'r napcynau oddi ar y bwrdd a rhwbio'i cheg a'i thafod yn galed. Gallwn ei chlywed yn mwmian – *profiad gwaetha fy mywyd . . . fe fydda i'n cael hunllefau am wythnosau!*

Rhuthrodd Alys at y bwrdd a gafael yn y platiau. 'Wel, dyna'r cwrs cynta. Eisteddwch i lawr a bydd y prif gwrs yma mewn dim amser.'

Eisteddodd Llinos heb ddweud gair. Roedd hi'n dal yn welw iawn, fel tasai hi mewn sioc.

Yn y gegin, taflodd Alys weddillion y salad a'r falwoden i mewn i'r bin ailgylchu bwyd a dweud, 'Ti oedd yn iawn. Fe ddylen ni fod wedi golchi'r letys. Byddwn yn gwybod yn well y tro nesa.'

'Mae un peth yn sicr, Al,' dywedais yn bendant.

‘Fydd ’na *ddim* tro nesa. Byth bythoedd.’

Chymerodd Alys ddim sylw wrth fynd i estyn y prif gwrs o’r oergell. ‘Reit, mae’n hen bryd i ni roi’r lasagne ’ma yn y microdon,’ meddai. ‘Fydd e ddim–’

Tawelodd yn sydyn wrth gofio rhywbeth ofnadwy. ‘O na! Does ’da chi ddim ffwrn ficrodon, yn nac oes?’

‘Nac oes, mae Mam yn eu casáu nhw,’ dywedais mewn panig. ‘Beth wnawn ni nawr?’

Cipiodd Alys y pacedi oddi ar y bwrdd ac anelu am y drws cefn. ‘Bydd raid i mi fynd drws nesa i ddefnyddio un Dad,’ meddai. ‘Fydda i ddim yn hir. Dos di i siarad gyda nhw i’w cadw’n brysur.’

Roedd Alys drws nesa am *oesoedd*. Fe wnes i fy ngorau glas i sgwrsio am bob math o bynciau, ond roedd y sgwrs yn marw ar ôl rhyw frawddeg neu ddwy. Roedd Gwyn yn edrych ar ei watsh bob dau funud, ac roedd rhyw olwg od iawn ar wyneb Llinos.

Yn y diwedd, doedd gen i ddim dewis ond mynd i nôl fy mag ysgol, a thynnu’r recorder a llyfr o ganeuon mas ohono. Ar y dechrau, roedd y ddau’n cymryd diddordeb ac yn tapio’u traed i rythm y gerddoriaeth. Erbyn y bedwaredd gân doedd eu gwên ddim mor llydan, a doedd yr un o'r ddau'n tapio'u traed.

Erbyn i mi glywed Alys yn agor y drws cefn, ro'n i ar y ddegfed cân – a do'n i ddim yn gyfarwydd â hi o gwbl. Doedd dim siâp arna i ac roedd y datganiad yn llawn o gamgymeriadau a nodau coll. Erbyn i mi stryffaglu i'r diwedd, doedd Alys yn dal heb ymddangos, ac edrychai Gwyn fel tasai wedi cwympo i gysgu.

Ro'n i wedi dechrau chwarae'r cytgan am y pedwerydd tro pan ymddangosodd Alys o'r diwedd, yn cario dau blât. Tewais yn sydyn, a sibrydodd hi yn fy nghlust wrth basio heibio i mi.

'Twyll yw'r bwydydd parod 'ma,' meddai. 'Maen nhw'n edrych yn llond plât ar y bocs – ond 'drycha pa mor fach y'n nhw mewn gwirionedd! Mae'n warthus!'

Roedd hi yn llygad ei lle. Roedd y lasagne ar bob plât yn ddigon, falle, i lenwi bola cath fach (oedd heb gael cwrs cynta o letys a malwoden).

Ond erbyn hynny roedd Llinos a Gwyn mor llwglyd fel bod y ddau wedi ymosod ar y bwyd bron cyn i Alys roi'r platiau ar y bwrdd. Diflannodd Alys a fi i'r gegin a'u gadael i 'fwynhau' eu swper.

Roedd hon yn troi mas i fod yn noson hir, hir iawn.

Pennod 19

Arhosodd Alys a fi yn y gegin am oesoedd. Roedden ni'n gallu clywed Llinos a Gwyn yn sgwrsio yn y stafell fwyta, felly penderfynon ni roi llonydd iddyn nhw. Bob tro roedden ni'n clywed sŵn chwerthin, roedd Alys yn fy mhwnio yn fy ochr – a finnau'n gwichian mewn poen.

Yn sydyn, roedd pobman yn dawel. 'Beth sy'n mynd 'mlaen, tybed?' sibrydodd Alys gan roi ei chlust ar y drws i wrando.

Mewn gwirionedd, do'n i'n becso dim erbyn hyn. 'Falle'u bod nhw'n cusanu,' dywedais yn ffwr-bwt.

'Gobeithio ddim, wir,' meddai Alys. 'Hon yw eu dêt gynta, cofia. Mwy na thebyg eu bod nhw'n methu meddwl am ddim byd arall i'w ddweud.'

'Neu eu bod wedi penderfynu'n derfynol pa ffordd i osod y papur tŷ bach,' dywedais dan chwerthin.

'Mae hwn yn amser da i fynd â'r pwdin i mewn,' meddai Alys gan agor drws y rhewgell a dechrau chwilota. 'Ble mae'r hufen iâ? Yr unig beth wela i yma yw bagiau o sbigoglys . . .'

'Nid fi gadwodd e – ti wnaeth, ti'n cofio?'

'Naddo wir – ro'n i'n meddwl dy fod ti wedi'i roi'n syth yn y rhewgell.'

Ychydig funudau'n ddiweddarach, fe ddaethon ni o hyd i'r hufen iâ – roedd e'n dal yn y bag siopa o dan fwrdd y gegin. Agorais y caead a rhoi fy mys i mewn ynddo. Roedd e'n teimlo fel sleim, ac yn edrych yn ddim byd tebyg i hufen iâ.

'O mam bach!' llefodd Alys. 'Beth wnawn ni nawr? Mae'n debyg ei fod yn ormod i ddisgwyl bod gan dy fam ryw bwdinau neis yn cuddio yr oergell . . .'

'Dim gobaith!' chwarddais. 'Does 'na ddim byd yma heblaw uwd organig a llwythi o sbigoglys – ac ry'n ni wedi bwyta'r holl siocled 'na ddaeth Llinos gyda hi.'

'Falle gallen i fynd drws nesa i chwilio am rywbeth – neu i'r siop,' cynigiodd Alys.

'Na chei wir,' dywedais yn bendant. 'Dwyt ti ddim yn mynd i 'ngadael i ar fy mhen fy hun gyda'r ddau yna eto. Dwi wedi mynd drwy fy *repertoire* cyfan o alawon ar y recorder. A dwi'n berffaith sicr eu bod wedi cael llond bola arna i y tro diwetha.'

'O wel,' ochneidiodd Alys, 'rhaid i ni jest wneud y tro ar beth sy 'da ni. Estyn ddau wydryn gwin neis i mi, wnei di?'

Gwnes i hynny, a sefyll yn stond yn gwylio Alys yn tywallt y sleim lliw hufen i mewn iddyn nhw.

'Beth yw e i fod?' holais.

'Cawl fanila hufennog,' atebodd Alys. 'Mae'n bwdin ffasiynol iawn mewn caffis bach ar strydoedd Paris.'

'Wir yr?' holais yn syn. 'Sut gwyddost ti?'

'Wel, fe *ddylai* fod o leia!' chwarddodd Alys, gan fy atgoffa o'r hen Alys oedd wastad yn llawn o hwyl. Trueni bod bywyd bellach mor gymhleth – dylen ni fod yn gallu joio, heb fecso am y ddau yn y stafell fwyta.

Safodd Alys yn ôl i edmygu ei gwaith llaw. 'Mae angen rhywbeth ar y top i'w haddurno nhw,' meddai. 'Oes 'na sbrincls yn y cwpwrdd, tybed?'

'Dim gobaith,' dywedais. 'Ond gallen ni 'sgeintio 'chydig o bowdr coffi arnyn nhw i roi blas a lliw.'

'Syniad da,' meddai Alys.

Ond pan agorais y jar, dim ond ffa coffi oedd ynddi hi. 'Does dim modd 'sgeintio'r rhain,' dywedais wrth Alys.

'Paid â becso,' meddai, 'fe wnân nhw'r tro yn iawn.' A dododd ychydig o'r ffa coffi ar ben y ddau wydryn o gawl fanila hufennog. Arhosodd y ffa ar y top am eiliad neu ddwy, cyn suddo i'r gwaelod a diflannu.

'Wel, dwi ddim yn bwriadu gwastraffu rhagor o amser gyda'r pwdinau 'ma,' meddai. ''Sdim gwahaniaeth bod yr addurniadau ar y gwaelod yn hytrach nag ar y top. Mae'n hen bryd i ni fynd â nhw at y bwrdd. Dere, Meg. Gariwn ni un bob un.'

Diolch byth, doedd Llinos a Gwyn ddim yn cusanu – roedd y ddau'n edrych ar ei gilydd ond heb ddweud gair.

'Mae ganddon ni bwdin arbennig i chi heno,' meddai Alys. 'Cawl fanila hufennog – mae'n ffasiynol iawn ym Mharis, mae'n debyg.'

'Hmm, felly'n wir!' meddai Llinos gan wenu.

Ddywedodd Gwyn 'run gair, dim ond codi'i lwy a'i phlannu i mewn i'r gwydryn. Mae'n debyg ei fod yn dal ar lwgu ar ôl y cwrs cyntaf trychinebus, a'r prif gwrs oedd ond yn ddigon i lenwi bola cath fach. Am ryw ddeg eiliad edrychai'n hapus iawn, ond yn sydyn gollyngodd ei lwy a chodi'i law at ei geg.

'AWWW!' llefodd. 'Beth yn y byd sy yn y pwdin 'ma? Bu bron iawn i mi dorri dant!'

'Syrpréis bach oedd hwnna,' meddai Alys. 'Fel'na maen nhw'n ei weini ym Mharis.'

Ac ar hynny, gafaelodd yn fy mraich a 'nhynnu'n ôl i'r gegin.

Ro'n i ar bigau'r drain, yn disgwyl i Gwyn ruthro i mewn aton ni yn cario hanner dant yn ei law. 'Beth wnawn ni os yw e wir wedi torri dant?' gofynnais mewn panig.

''Sdim angen i ti fecso,' atebodd Alys. 'Mae Dad yn dipyn o hen fabi – fe fydd e'n iawn, gei di weld.'

A diolch byth, chlywson ni ddim mwy o weiddi o'r stafell fwyta.

'Reit,' meddai Alys, 'awn ni â'r siampên i mewn nawr. Dere i roi help llaw i mi.'

Estynnais hambwrdd arian gorau Mam, a rhoi dau wydryn arno. Cariodd Alys y botel siampên.

Roedd wyneb Llinos yn bictiwr pan gerddon ni i mewn atyn nhw. 'Siampên? Beth y'n ni'n ddathlu?' gofynnodd.

Wel, gallwn restru sawl peth, ond do'n i ddim

am eu rhannu gyda Llinos!

Dathlu na wnest ti fwyta'r falwoden yn y salad.

Dathlu bod Gwyn heb dorri'i ddant ar y ffa coffi.

Dathlu bod Alys a fi – er gwaetha popeth – heb lwyddo i'ch gwenwyno chi'ch dau.

Diolch byth, achubodd Alys y sefyllfa. 'Ry'n ni'n dathlu'r ffaith ei bod yn nos Sadwrn,' meddai, 'a'n bod ni i gyd yn cael amser da gyda'n gilydd.'

Hy! Falle bod Alys yn cael amser da – ond do'n i yn sicr ddim! Ro'n i'n cael amser gwael iawn, yn becso am bopeth oedd wedi mynd o'i le – ac yn ôl eu golwg nhw, doedd Llinos a Gwyn ddim yn cael amser gwych chwaith!

'Gad i mi agor y botel,' meddai Gwyn wrth Alys.

'Na, na, ti yw'r gwestai arbennig heno,' mynnodd hithau. 'Fydd e'n ddim problem – dwi wedi gweld pobl yn gwneud hyn ar y teledu ddwsinau o weithie.'

Yn ofalus, tynnodd Alys y ffoil oddi ar dop y botel, agor y cawell bach oedd yn dal y corcyn yn ei le, a defnyddio'i bodiau i wthio'r corcyn yn araf o'r botel. Yna, am ryw reswm, pan oedd y corcyn bron mas, gwthiodd Alys y botel i mewn i 'nwylo i.

'Hwde, Meg – gwna di fe,' llefodd. 'Dwi'n casáu'r sŵn!'

Doedd gen i fawr o ddewis ond gafael yn y botel. Teimlwn fel tasen i'n gafael mewn bom oedd ar fin ffrwydro. Daliais y botel cyn belled ag y gallwn ymestyn fy mreichiau.

Cuddiodd Alys y tu ôl i gadair, rhoddodd Llinos ei dwylo dros ei chlustiau, a galwodd Gwyn, 'Cymer ofal!'

Rhy hwyr! Ffrwydrodd y corcyn mas o'r botel gyda sŵn 'POP' byddarol, gan saethu ar draws y stafell i gyfeiriad y silff lle roedd Mam yn cadw'i hoff fas wydr. CRASH! Cwympodd y fas i'r llawr mewn cannoedd o ddarnau mân. Gallwn glywed Alys yn sgrechian, a'r ddau arall yn dweud '*O na!*' a '*Beth ddwedith Hafwen druan?*'

Llanwodd fy llygaid â dagrau. Pam yn y byd o'n i wedi gadael i Alys fy rhoi yn y fath sefyllfa? Byddai pawb yn fy meio i – a doedd hynny ddim yn deg.

Roedd pawb yn syllu ar ei gilydd, heb wybod beth i'w ddweud. Yn sydyn, agorodd y drws o'r cyntedd a cherddodd Seren i mewn.

'Bang mawr mawr!' dywedodd gan ruthro at Llinos.

'O, Seren fach,' meddai Llinos. 'Gest ti ofan,

cariad bach? Paid â becso, mae popeth yn iawn nawr,' a phlygodd i lawr i roi cwtsh i'r fechan.

'O! Mae dy byjamas di'n wlyb,' meddai. 'Ydy dy stafell wely di'n rhy dwym? Wyt ti wedi bod yn chwysu?'

Edrychodd Alys a fi ar ein gilydd, ac roedd hyd yn oed Seren yn edrych yn annifyr. Pryd fyddai Llinos yn sylweddoli pam fod ei phyjamas yn wlyb? Oedd y swper trychinebus wedi effeithio ar ei gallu i arogli?

Falle y dylwn i fod wedi atgoffa Llinos am un o reolau aur Mam – un oedd, yn wahanol i'r rhan fwyaf o'r cannoedd o reolau eraill, yn gwneud synnwyr. Doedd Seren ddim i fod i gael unrhyw beth i'w yfed ar ôl chwech o'r gloch y nos – a hynny am resymau amlwg!

Ac os oedd Alys a fi'n dal i obeithio y byddai rhyw wreichionyn bach o ramant yn cydio rhwng Llinos a Gwyn, roedd y ffaith fod Seren bellach yn eistedd yng nghôl Llinos yn ddigon i roi diwedd ar y gobaith hwnnw.

'Dere,' dywedais yn flinedig wrth Seren. 'Awn ni lan staer i ti gael pyjamas glân. Alys – gwell i ti ddechrau golchi'r llestri.'

Pennod 20

Ar ôl i mi wisgo Seren mewn pyjamas glân, gwnes fy ngorau glas i'w pherswadio i fynd yn ôl i'w gwely, ond doedd dim byd yn tycio.

'Na, na, Meg,' meddai'n bendant. 'Fi isie mynd lawr staer at Llinoth. Fi'n hoffi Llinoth.'

O wel, meddyliais, *man a man iddi hi fynd, sbo. Mae'r noson wedi cael ei difetha ta beth.*

Gadewais i Seren gael ei ffordd, ac es innau i'r gegin i helpu Alys gyda'r llestri.

Yn nes 'mlaen, pan oedd y gegin yn lân a thaclus unwaith eto, gofynnodd Alys i mi, 'Sut aeth y noson, ti'n credu?'

'Wel,' atebais yn sychlyd, 'o leia wnaethon ni

ddim llosgi'r tŷ i lawr, ac mae hynny'n beth da.'

'Dwi o ddifri, Meg,' meddai Alys. 'Beth am y dêt ramantus? Wyt ti'n credu ei bod hi'n llwyddiant? Fydd Dad yn dweud wrth Mam ei fod wedi cwrdd â rhywun arall? Wyt ti'n credu y bydd Mam yn teimlo'n eiddigeddus?'

Ochneidiais yn drwm. Yn fy marn i, roedd yr holl beth yn gwbl drychinebus – bron cyn waethed â'r trip i'r Parc Bywyd Gwyllt gyda Miss Morgan. Ond do'n i ddim eisiau siomi Alys, chwaith . . .

'Mae'n anodd dweud beth mae oedolion yn ei feddwl,' dywedais yn betrusgar. 'Roedd Llinos a dy dad i weld yn . . . ymm . . . dod 'mlaen yn eitha da, sbo.'

'Anghofia fe, Meg,' meddai Alys. 'Diolch i ti am drio arbed fy nheimladau, ond dwi'n sylweddoli bod y cyfan yn llanast llwyr. Y funud hon, mae'n debyg bod Dad a Llinos yn meddwl sut yn y byd maen nhw'n mynd i allu dianc heb frifo teimladau'i gilydd. Dwi am ofyn i Dad fynd â fi adre, a rhoi diwedd ar y pantomeim 'ma.'

Agorodd Alys y drws i'r stafell fwyta, cymryd hanner cam i mewn, a chamu'n ôl allan ar unwaith. ''Drycha,' sibrydodd wrtha i.

Pipiais i mewn i'r stafell, a gweld bod Gwyn a

Llinos bellach ar y soffa a'u cefnau tuag aton ni. O'r ffordd roedden nhw'n eistedd, roedd yn amlwg eu bod bellach yn ffrindiau da.

Dywedodd Llinos rywbeth na allwn i ei glywed, a chwarddodd Gwyn fel petai hi wedi dweud y jôc orau erioed.

'W'st ti beth, Llinos,' meddai Gwyn gan sychu'i lygaid, 'dwi wedi mwynhau fy hun yn fawr heno. Byth ers i Lisa a fi . . . wel . . . ti'n gwybod . . . ers i ni wahanu, dwi prin wedi bod mas o gwbl heblaw i'r gwaith. Dwi wedi eistedd yn y tŷ yn teimlo trueni drosof i fy hun. Dylwn i fod wedi gwneud mwy o ymdrech, sbo.'

Wel,' atebodd Lisa, 'dwi mor falch dy fod ti wedi penderfynu galw heibio heno.'

Llyncais yn galed. Dyma'r foment fawr, pan fyddai Llinos a Gwyn yn sylweddoli o'r diwedd beth oedd wedi digwydd. Yn y tawelwch, gallwn glywed fy nghalon yn curo fel drwm.

O'r diwedd, agorodd Gwyn ei geg. 'Ond . . .' dechreuodd, a golwg ddryslyd ar ei wyneb.

'A gwell fyth, dy fod ti heb gael swper cyn dod draw yma,' meddai Llinos.

Roedd Alys a fi'n cuddio y tu ôl i ddrws y gegin, yn gwrando'n astud.

'Ond pam byddwn i wedi cael swper, a tithau

wedi . . ?' gofynnodd Gwyn. Tawodd yn sydyn a chrafu'i ben mewn penbleth.

'Wedi beth?' gofynnodd Llinos.

'O, anghofia fe,' atebodd Gwyn gan wenu. 'Gawson ni noson hyfryd – dyna'r cyfan sy'n bwysig nawr.'

'Diolch byth!' sibrydais – ond ro'n i wedi siarad yn rhy fuan!

'Na, Gwyn,' mynnodd Llinos, 'beth oeddet ti'n mynd i'w ddweud?'

Daliais fy anadl, yn becso beth fyddai'n digwydd nesa . . .

'Wel, os oes raid i ti gael gwybod,' meddai Gwyn, 'ro'n i am ddweud "pam yn y byd y byddwn i wedi bwyta cyn dod, a finnau wedi cael gwahoddiad i swper?" '

Roedd y tawelwch yn annioddefol, a 'nghalon yn curo mor galed nes bron â neidio mas o 'nghorff i.

O'r diwedd, dechreuodd Gwyn siarad eto. 'Mae'n flin 'da fi, Llinos, ond rhaid i mi ofyn hyn i ti. Ife ti oedd wedi trefnu'r noson, ac anfon y merched draw bore 'ma i 'ngwahodd i yma i swper?'

'Ymm . . . wel, nage, ddim yn union . . . Fe ddwedodd Alys a Megan . . .'

'Aha!' meddai Gwyn gan neidio oddi ar y soffa. 'Fe ddylen i fod wedi amau taw nhw oedd y drwg yn y caws. Beth yn y byd oedd ar eu pennau nhw? Dwi'n mynd i sortio Alys mas unwaith ac am byth – mae hi wedi mynd yn rhy bell y tro hwn.'

Roedd y ddwy ohonon ni'n crynu y tu ôl i'r drws pan waeddodd Gwyn, 'Dere 'ma, Alys – *nawr*, ti'n deall?'

'Dwi ddim am fentro mas 'na – fe fydd Dad yn fy lladd i!' sibrydodd wrtha i.

'Does gen ti fawr o ddewis,' sibrydais innau. 'Alli di ddim aros fan hyn am byth!'

Ond y funud honno, fe glywson ni Llinos yn dechrau chwerthin. 'Paid â bod yn rhy galed arni hi, Gwyn,' meddai. 'Rhaid i ti gyfadde – maen nhw'n llawn dychymyg! Pwy arall fyddai'n meddwl am y fath syniad – dy wahodd di yma i swper heb sôn gair wrtha i, a choginio'r bwyd hynod . . . ymm . . . ddiddorol 'na! Mae e'r math o beth fyddwn i wedi mwynhau ei wneud pan o'n i'n blentyn, ond do'n i byth yn ddigon dewr i fentro!'

'Do'n innau ddim yn blentyn dewr chwaith,' cyfaddefodd Gwyn.

'Wel, dwi'n siŵr dy fod ti'n cytuno ein bod ni

wedi cael hwyl,' meddai Llinos. 'Gwell o lawer nag eistedd o flaen y teledu drwy'r nos.'

Doedd Gwyn yn amlwg ddim am ildio'n hawdd. 'Ond beth oedd y syniad tu ôl i hyn i gyd?' gofynnodd.

'O, ti'n gwybod sut mae merched,' meddai Llinos yn ysgafn.

'Dyna'r broblem,' atebodd Gwyn, 'dwi ddim yn deall merched o gwbl . . .'

'Wel, beth am i ti dywallt gwydryn arall o siampên i ni, ac fe wna innau rannu 'chydig o gyfrinachau 'da ti am sut mae merched yn meddwl,' meddai Llinos.

O'n cuddfan gallai Alys a fi glywed sŵn y gwydrau'n tincial, ond ar ôl hynny roedd eu lleisiau mor dawel fel nad oedd modd i ni glywed gair.

Ymhen sbel, aeth Alys a fi i sbecian drwy'r drws eto. Roedd y ddau wedi closio ar y soffa, a Gwyn yn pwyso 'mlaen nes bod eu hwynebau'n agos iawn.

'O na!' llefodd Alys. 'Mae e am roi sws iddi hi!'

'Ro'n i'n meddwl taw dyna oeddet ti eisiau?' dywedais.

'Ie . . . nage . . . ie . . . o, dwn i ddim . . .'

Y funud honno, ymddangosodd Seren o rywle. Ro'n i wedi hen anghofio ei bod hi'n dal i lawr staer – rhaid ei bod wedi bod yn cysgu yn y gadair.

'Helô,' meddai, 'Theren itho pi-pi!'

Wel, dyna ddiwedd ar unrhyw obaith o ramant! Neidiodd Gwyn oddi ar y soffa fel petai hi ar dân, a gafaelodd Llinos yn llaw Seren a mynd â hi i'r tŷ bach ar frys.

Pan ddaeth Llinos yn ei hôl a Seren yn ei breichiau, symudodd Gwyn tuag at y drws ffrynt gan ddweud, 'Diolch yn fawr iawn am noson hyfryd. Dere, Alys, mae'n hen bryd i ni fynd adre. Dwi angen gair 'da ti am y *gwahoddiad* caredig ges i gen ti bore 'ma. Nos da bawb!'

'Nos da,' dywedodd Llinos a fi.

Sefais wrth y drws yn eu gwylio'n cerdded drws nesa ac aeth Llinos i mewn at Seren.

Druan o Alys – roedd ei bywyd mor gymhleth.

A druan ohonof innau hefyd – roedd yn rhaid i mi wynebu Llinos.

Pennod 21

Erbyn i mi fynd yn ôl i mewn, roedd Llinos wedi perswadio Seren i orwedd ar y soffa gyda blanced drosti. Trodd Llinos ata i a'i breichiau wedi'u plethu o'i blaen. Er nad oedd hi'n edrych yn grac, doedd hi ddim yn rhy hapus chwaith. Dechreuais deimlo'n annifyr.

'Wel, gwell i mi orffen cymoni,' dywedais gan gasglu'r gwydrau siampên a'u cario i'r gegin.

Ro'n i wedi amau y byddai Llinos yn fy nilyn, ac ro'n i'n iawn. Eisteddodd y ddwy ohonon ni ar y stolion uchel wrth gownter y gegin a syllu ar ein gilydd. Erbyn hyn, roedd Llinos wedi sychu'r colur oddi ar ei hwyneb, ac er ei bod yn edrych yn debycach iddi'i hun, doedd hi ddim yn dweud gair o'i phen.

Yn y diwedd, fedrwn i ddim diodde'r tawelwch. 'Mae'n debyg 'mod i mewn trwbwl mawr,' mentrais.

'Wel, does neb wedi marw,' atebodd Llinos.

'Nac oes, diolch byth! Gallai hynny'n hawdd fod wedi digwydd gan fod y bwyd mor ofnadwy!' chwarddais.

Chwarddodd Llinos hefyd wrth feddwl am y cawl fanila hufennog. 'Roedd hwnna'n bwdin gwreiddiol iawn,' meddai, 'ond gobeithio na fydd raid i mi ei fwyta byth eto!'

Ond yna trodd ata i a golwg ddifrifol ar ei hwyneb. 'Nawr 'te, Megan,' meddai. 'Os wyt ti'n fodlon dweud y gwir am beth ddigwyddodd heddiw, fydda i ddim yn grac gyda ti, iawn?'

Do'n i ddim yn awyddus i ddweud y gwir wrth Llinos, ond doedd gen i fawr o ddewis. Falle, taswn i'n dweud y cyfan wrthi, y byddai hi'n deall pam 'mod i'n gorfod helpu Alys. Tynnais anadl ddofn a dechrau siarad.

'Fel hyn mae pethe, ti'n gweld,' dechreuais.

'Rwyt ti'n gwybod bod rhieni Alys wedi gwahanu, yn dwyt? Wel, roedd Alys a fi'n meddwl, tasen ni'n gallu trefnu dy fod ti a Gwyn yn . . . wel . . .'

'Yn beth?' holodd Llinos.

Ochneidiais. Roedd hyn yn fwy anodd nag o'n i'n feddwl. Wrth geisio esbonio'r cynllun i rywun arall, roedd e'n swnio'n wirioneddol dwp. Sut yn y byd oedd Alys wedi llwyddo i 'mherswadio i i chwarae rhan yn yr holl beth? Ond bellach doedd gen i ddim dewis ond dweud y cyfan wrth Llinos.

'Roedd Alys yn meddwl tasen ni'n gallu trefnu dy fod ti a Gwyn yn cwympo mewn cariad, y byddai Lisa – mam Alys – yn teimlo'n genfigennus ac yn mynd yn ôl at Gwyn. Ac wedyn byddai pawb yn byw'n hapus am byth bythoedd!'

'A beth am Gwyn druan?' holodd Llinos. 'Wnaethoch chi ystyried ei deimladau e o gwbl?'

Ysgydwais fy mhen mewn cywilydd. Ro'n i wedi bod yn becso gymaint am gael stŵr gan Llinos fel nad o'n i wedi meddwl am Gwyn o gwbl.

'Mae dy fam wedi dweud yr hanes wrtha i. Roedd pethau'n anodd rhwng Lisa a Gwyn ers amser hir, ac mae e wedi cael amser caled iawn yn dygymod â'r sefyllfa. Beth tasai e'n cwympo mewn cariad gyda fi, a finnau'n byw ym Mangor? Feddylioch chi am hynny o gwbl?'

Ysgydwais fy mhen eto. Roedd hyn yn ofnadwy. Yn hytrach na bod yn grac gyda fi, roedd Llinos yn gwneud i mi deimlo *mor* euog.

'A beth amdana i?' ychwanegodd. 'Roeddet ti ac Alys yn fy nefnyddio i, heb ystyried fy nheimladau innau 'chwaith. Beth taswn i wedi cwympo mewn cariad gyda Gwyn? Beth wedyn?'

'Oeddet ti . . . wnest ti . . ?'

'Naddo, siŵr,' ochneidiodd Llinos. 'Mae Gwyn yn grêt, ac fe gawson ni noson hyfryd gyda'n gilydd, ond . . .' Tawodd am eiliad cyn ychwanegu, 'Anghofiwn ni am Gwyn am funud. Dwi newydd gofio am y "gweddnewidiad" ges i'n gynharach heddiw. Doedd e'n ddim byd o gwbl i'w wneud â'r Clwb Ieuenctid, nac oedd? Celwydd noeth oedd y cyfan, yntê?'

O diar . . . rhoddais fy mhen yn fy nwylo a theimlo fy llygaid yn llenwi â dagrau.

'A'r busnes 'na neithiwr, pan oedd y goleuadau wedi diffodd. Chi'ch dwy oedd yn gyfrifol am hynny hefyd, mae'n siŵr? Cynllwyn i gael Gwyn i alw draw, ife?'

Roedd hyn yn erchyll! Roedd Llinos wastad

mor garedig wrth Seren a fi, a nawr ro'n i wedi ei siomi'n ofnadwy. Ddylwn i byth fod wedi gadael i Alys fy nhynnu i mewn i'r helynt. Wyddwn i ddim ble i edrych . . .

Yn sydyn, ac yn annisgwyl iawn, dechreuodd Llinos chwerthin. 'Chi ferched!' meddai. 'Beth wna i gyda chi?'

'Mae'n wir, wir flin gen i am bopeth,' llefais. 'Dwi wedi bod yn dwp ac yn ddifeddwl – yn gwneud i bobl ddiodde heb angen. Ond rhaid i mi ofyn hyn . . . wyt ti . . . oes 'na unrhyw obaith . . ?'

'Na, dim gobaith o gwbl,' torrodd Llinos ar fy nhraws. 'Mae Gwyn yn ddyn hyfryd, ond dyw e ddim fy nheip i o gwbl. A beth bynnag . . .'

Tawodd Llinos yn sydyn, gan wenu rhyw wên fach ddirgel. 'Alli di gadw cyfrinach?' gofynnodd yn sydyn.

'Gallaf wrth gwrs!' dywedais. Dwi wrth fy modd gyda chyfrinachau – wel, heblaw'r rhai mae Alys yn eu rhannu gyda fi. Mae'r rheiny wastad yn arwain at ryw drafferthion.

Er taw dim ond Llinos a fi oedd yn y gegin, a Seren drws nesa'n cysgu'n sownd, dechreuodd Llinos siarad yn dawel iawn, iawn.

'Ychydig fisoedd yn ôl,' meddai, 'fe gwrddes i â dyn ym Mangor. Mae e'n neis – a dweud y gwir, mae'n hyfryd. A dwi'n gobeithio . . . wel, mae gen i deimlad bod pethe'n mynd i weithio mas rhyngon ni . . .'

'Waw!' llefais. 'Mae hynna'n newyddion grêt! Ydy Mam yn gwybod eto?'

'Nac ydy, a dwi ddim am i ti sôn gair wrthi hi chwaith, iawn? Fel arall, fe fydd hi mor gyffrous nes dechrau gwau ffrog briodas i mi mas o hen siwmperi, neu bobi cacen foron ar gyfer y wledd. Os bydd pethe'n gweithio mas rhyngon ni, dwi'n addo dweud wrthi hi – ond dwi'n awyddus i gadw'n dawel am y tro.'

'Dim problem,' dywedais gan roi clamp o gwtsh i Llinos. 'Mae dy gyfrinach di'n saff gyda fi!'

Ddywedodd yr un ohonon ni air am sbel. Roedd hyn yn newyddion gwych! Roedd Llinos yn haeddu bod yn hapus, ar ôl byw ar ei phen ei hun ers blynyddoedd.

Dechreuais freuddwydio am briodasau . . . tybed fyddai hi'n gofyn i mi fod yn forwyn, a Seren yn forwyn flodau? Byddai hynny'n cŵl! A fyddai dim rhaid i mi fecso beth fyddai Mam yn ei wisgo, hyd yn oed, gan ei bod wedi cael dillad newydd ar gyfer eisteddfod yr ysgol! Bydden ni i gyd yn mynd i ryw westy crand a . . .

Torrodd Llinos ar draws fy mreuddwydion a

’nhynnu’n ôl i’r presennol.

‘Mae’n debyg taw syniad Alys oedd y dêt gyda Gwyn, ife?’ gofynnodd.

Nodiais a dweud, ‘Byth er pan mae ei rhieni wedi gwahanu, dy’n ni’n dwy byth yn cael cyfle i wneud pethau “normal”. Mae hi byth a hefyd yn meddwl am ryw gynlluniau hanner call a dwl i’w cael nhw’n ôl at ei gilydd – a phob un ohonyn nhw’n mynd yn ffradach yn y diwedd.’

‘Alys druan,’ meddai Llinos. ‘Mae’n rhaid ei bod hi’n anhapus iawn.’

‘Ydy, mae hi,’ cytunais, ‘er nad yw hi wastad yn dangos hynny. A dwi’n teimlo fel dweud wrthi am beidio â gwneud bywyd mor gymhleth iddi hi’i hun a finne – a derbyn pethe fel maen nhw. Ond dwi’n teimlo trueni mawr drosti hi ac yn sylweddoli bod ei bywyd yn wahanol iawn i ’mywyd i. Mae Mam a Dad yn fy ngyrru’n benwan yn aml iawn, ond o leia ry’n ni’n deulu hapus ac yn byw dan yr un to.’

Nodiodd Llinos, ac yn sydyn ro’n i’n awyddus i gael ei barn hi am y sefyllfa.

‘Wyt ti’n credu y gallai’r syniad o “ddêt ramantus” weithio? Allai hynny wneud i Lisa deimlo’n eiddigeddus, a’i pherswadio i fynd yn ôl at Gwyn?’

‘Wel,’ meddai Llinos gan wenu, ‘mae Alys yn un dda am syniadau gwreiddiol! Dwi ddim yn ei beio hi am drio – ond hyd yn oed tasai Lisa’n teimlo ’chydig yn genfigennus, dyw hynny ddim yn golygu y bydd hi’n awyddus i fynd yn ôl at Gwyn.’

‘Beth wyt ti’n feddwl?’ gofynnais.

Oedodd Llinos am sbel cyn ateb. ‘Yn aml iawn, mae’r sefyllfa rhwng cwpwl yn fwy cymhleth o lawer nag mae’r plant yn feddwl. Weithie, does dim gobaith iddyn nhw ddod yn ôl at ei gilydd. Mae’n sefyllfa drist i Alys a’i brawd bach . . . ac i Gwyn a Lisa hefyd. Ond–’

Torrais ar ei thraws a dweud, ‘Ond mae Alys yn dal i gredu bod ei chynllun yn mynd i weithio. Dyw hi heb roi lan. A dweud y gwir, dyw hi *byth* yn rhoi lan.’

Wel,’ ochneidiodd Llinos, ‘mae gwyrthiau’n digwydd weithie, sbo.’

‘Ond beth os na fydd gwyrth yn digwydd y tro hwn?’ holais mewn llais bach.

‘Fe fyddi di’n dal i fod yn ffrind da i Alys,’ meddai Llinos, gan roi ei braich amdanaf. ‘Bydd hi dy angen di i’w helpu i wynebu’r dyfodol.’

Pennod 22

Y bore wedyn, doedd gen i ddim awydd mynd draw at Alys. Doedd gen i ddim syniad beth i'w ddweud wrthi hi. Ro'n i ar bigau'r drain, yn methu setlo i wneud dim byd, ac yn mynd ar nerfau Llinos.

'Alla i ddim dy orfodi di i fynd i weld Alys,' meddai hi o'r diwedd, 'ond os wyt ti'n bwriadu hongian o gwmpas fan hyn, man a man i ti fy helpu i lanhau'r tŷ.'

Ochneidiais. Roedd Llinos yn amlwg wedi bod yn Aberystwyth yn rhy hir – roedd hi'n prysur droi'n debyg i Mam! Er hynny, falle byddai hŵfro'n fwy o hwyl na threulio amser gydag Alys ar ôl y noson drychinebus gawson ni neithiwr . . .

Ro'n i'n dal i bendroni pan afaelodd Llinos yn fy mraich a 'nhynnu tuag at y drws ffrynt. 'Dos, wir – dwyt ti'n ddim iws i neb fan hyn, ac mae ar Alys dy angen di.'

Roedd Alys wedi codi a gwisgo erbyn i mi gyrraedd y tŷ – a mwy na hynny, roedd hi'n wên o glust i glust.

'Dwyt ti ddim wedi cael amser caled gan dy dad, 'te?' holais yn syn.

'Naddo, pam?' atebodd.

'Wel – ble galla i ddechrau?' dywedais yn sychlyd. 'Am dy fod wedi trefnu ei fod e'n mynd drws nesa am swper, er nad oedd e wedi cael gwahoddiad? Am dy fod wedi ei roi mewn sefyllfa annifyr iawn. Am–'

Torrodd Alys ar fy nhraws cyn i mi gael cyfle i ddweud rhagor.

'Rwyt ti'n iawn – fe ddylwn i fod mewn trwbwl mawr, ond am ryw reswm dydw i ddim. Dyw Dad ddim wedi sôn gair am neithiwr, na holi pam, na dim. Mae e wedi bod yn dawel iawn . . .'

'Mae hynna'n od,' dywedais.

'Dwi'n cytuno,' meddai Alys, 'ond dwi ddim yn bwriadu gofyn pam nad yw e'n grac 'da fi!'

'Syniad da,' cytunais, gan deimlo rhyddhad mawr. Falle taw dyma fyddai diwedd yr holl fusnes 'dêt ramantus' 'ma. Diolch byth!

'Ta beth, Meg,' meddai Alys, 'dwi eisiau diolch i ti am dy holl help neithiwr. Dwi'n credu ei bod hi'n noson lwyddiannus iawn, iawn.'

Helô? Am beth oedd hi'n sôn? Oedd hi yn yr un tŷ â fi neithiwr?

Beth am y falwoden – fu bron iawn, iawn â throi'n *hanner* malwoden?

Beth am y lasagne, oedd ond yn ddigon i lenwi bola cath fach?

Yr hufen iâ oedd wedi toddi'n sleim gwyn?

Y ffaith fod Gwyn bron iawn wedi torri'i ddant ar y ffa coffi?

Hoff fas Mam, oedd bellach yn y bin mewn cannoedd o ddarnau mân?

Yr . . .

Ond torrodd Alys ar draws fy meddyliau. 'Dwyt ti ddim yn cytuno?' holodd. 'Iawn, dwi'n cyfadde nad oedd y bwyd yn wych . . .'

Fy nhro i oedd hi nawr i dorri ar draws. 'Ddim yn wych?' dywedais yn syn. 'Man a man i ti gyfadde, roedd e'n hollol erchyll!'

'Falle dy fod ti'n iawn,' chwarddodd Alys, 'ond o leia chafodd neb ei wenwyno! Chysgais i fawr ddim neithiwr – roedd popeth yn troi a throsi yn fy mhen. Ond y peth pwysica yw bod Dad a Llinos wedi cael dêt go iawn – cinio tri chwrs, a siampên – a phan ddaw Mam draw gyda Jac yn nes 'mlaen, galla i ddweud popeth wrthi hi.'

'Ond beth sy 'na i'w ddweud?' holais yn syn. 'Ddigwyddodd dim byd o bwys, yn naddo?'

'Wel, falle nad oedden nhw'n lyfi-dyfi ac ati, ond roedd yn hollol amlwg eu bod nhw wedi joio cwmni'i gilydd. A heblaw am Seren, dwi'n siŵr y bydden nhw wedi cusanu! Aros nes i mi ddweud hynny wrth Mam – bydd hi'n dechre becso!'

Ar ôl fy sgwrs gyda Llinos, ro'n i'n gwybod nad oedd hynny'n wir. Roedd yn rhaid i mi berswadio Alys i beidio â sôn gair wrth ei mam!

Ond doedd dim taw ar Alys. 'Mae gen i deimlad da ym mêr fy esgyrn. Mae'r cynllun yn mynd i weithio – gei di weld!'

Ro'n i'n pendroni tybed a ddylwn i ddweud wrthi am y sgwrs rhwng Llinos a fi'n gynharach y bore hwnnw, ond ches i ddim cyfle – clywais gloch y drws ffrynt yn canu.

'Mam sy 'na,' meddai Alys gan redeg i agor y drws.

'Haia!' meddai Jac, a rhedeg lan staer. Camodd Lisa i mewn i'r cyntedd.

'Bore da, Mam, dere i mewn,' meddai Alys. 'Sut wyt ti? Gest ti noson dda neithiwr?'

'Do, grêt diolch,' atebodd Lisa, 'noson fach dawel. Gafodd Jac a fi pizza i swper, gwylio ffilm, a mynd i'r gwely'n gynnar.'

'O diar – mae'n swnio'n noson ddiflas iawn i mi,' meddai Alys gan ddylyfu gên.

'Beth wnest ti oedd mor gyffrous, 'te?' holodd Lisa.

'Wel . . .' dechreuodd Alys, gan wenu'n slei, 'nid *fi* gafodd noson gyffrous neithiwr, ond Dad! Fe gafodd *e* noson arbennig iawn!'

'O, felly'n wir?' meddai Lisa. 'Gad i mi ddyfalu beth wnaeth e – gwylio sianel deledu wahanol i'r arfer? Gwisgo pâr newydd o sanau? Darllen cylchgrawn?'

''Sdim angen i ti fod mor sarcastig, Mam,' meddai Alys yn bwdlyd. 'Mae'n amlwg dy fod ti wedi anghofio'n llwyr am ddêt ramantus Dad gyda Llinos, modryb Megan.'

'O ie – dwi'n cofio nawr,' atebodd Lisa. 'Gawson nhw noson dda?'

I mi, roedd Lisa'n swnio fel petai ganddi hi rywfaint o ddiddordeb, ond nid mewn ffordd genfigennus. Ond, wrth gwrs, doedd Alys ddim wedi sylwi. Dechreuodd ddisgrifio'r noson, a mynd dros ben llestri fel arfer!

'O do, Mam, fe gafodd Dad noson gwbl *wych*!

Yn nhŷ Megan roedden nhw'n cwrdd, ond dim ond oherwydd bod Llinos yn gorfod carco Megan a Seren. Fel arall, wrth gwrs, fe fydden nhw wedi mynd mas i ryw fwyty crand. Megan a fi oedd yn gwneud y bwyd er mwyn iddyn nhw gael llonydd – tri chwrs, cofia di, a photel o siampên. Roedd hi'n noson hyfryd a rhamantus *iawn* – on'd oedd hi, Meg?'

'Ymm . . . oedd . . . mae'n debyg . . .' dywedais, gan faglu dros fy ngeiriau.

'Ac wedyn,' aeth Alys yn ei blaen, heb sylweddoli bod ei thad wedi dod i mewn i'r stafell, 'roedd Llinos a Dad wedi . . .'

'Wedi beth?' holodd Gwyn.

Rhywsut, llwyddodd Alys i newid ei stori ar amrantiad. Roedd yn amlwg i mi ei bod yn bwriadu dweud bod Llinos a Gwyn wedi bod yn cusanu am hydoedd, neu eu bod ar fin dyweddïo, hyd yn oed . . .

'O, ti sy 'na, Dad,' meddai'n ddiniwed. 'Ro'n i jest yn sôn wrth Mam am dy ddêt di neithiwr.'

'Ie, wel,' meddai Gwyn gan wenu. 'Roedd hi'n sicr yn noson . . . ymm . . . ddiddorol!'

Yn sydyn, do'n i ddim eisiau gwrando ar y sgwrs. Fel ffrind i Alys, ro'n i wedi hen arfer â bod mewn sefyllfaoedd chwithig, ond roedd hyn yn wahanol. Beth yn y byd o'n i'n wneud yng nghartref fy ffrind, yn gwrando ar ei rhieni'n trafod dêt ramantus ei thad hi gyda fy modryb i? Roedd yr holl beth yn hurt bost!

Gafaelais ym mraich Alys. 'Dere gyda fi, Al,' dywedais. 'Mae gen i rywbeth pwysig iawn i'w ddweud wrthot ti.'

Roedd Alys yn grac 'mod i wedi'i thynnu hi mas i'r cyntedd, jest fel roedd y sgwrs rhwng ei mam a'i thad yn dechrau mynd yn ddiddorol.

'Ie? Beth sy gen ti i'w ddweud sy mor bwysig, 'te?' gofynnodd yn bigog.

'Dim byd pendant,' ochneidiais, 'ond do'n i ddim yn teimlo y dylen ni aros yn yr un stafell â dy rieni di, a gwrando ar eu sgwrs. Beth am i ni fynd drws nesa i gael paned o siocled poeth i godi'n calonnau?'

'Dim gobaith, Meg,' atebodd Alys yn bendant. 'Dwi ddim yn bwriadu symud cam o'r lle 'ma. Dwi angen gwybod beth sy'n digwydd rhwng Mam a Dad.'

Wrth siarad, roedd hi'n fy nhynnu'n ôl at ddrws y stafell fyw er mwyn cael clustfeinio ar y sgwrs. Do'n i ddim yn hapus o gwbl – mae Mam wastad yn dweud wrtha i peth mor gas yw gwrando ar sgyrsiau pobl eraill, a dwi'n tueddu i gytuno gyda hi (am unwaith!). Ond byth ers i rieni Alys wahanu, ry'n ni'n clustfeinio'n llawer rhy aml. Ro'n i'n teimlo mor euog wrth i Alys a fi fynd yn nes at y drws i wrando ar y sgwrs . . .

'. . . ac yna fe es i adre,' meddai Gwyn.

'Mae'n swnio i mi fel tasech chi wedi cael noson hyfryd,' meddai Lisa. 'Dwi'n falch iawn drosot ti, ydw wir.'

Roedd yn gwbl amlwg i mi nad oedd Lisa'n teimlo'n genfigennus o gwbl. Gobeithio, felly, y byddai Alys yn cyfaddef nad oedd ei chynllun mawr wedi gweithio!

Edrychais ar ei hwyneb – na, doedd dim gobaith o gwbl o hynny!

'Dyw Mam ddim yn ei feddwl e,' dywedodd yn hyderus. 'Dyw hi jest ddim am i Dad wybod pa mor genfigennus mae hi'n teimlo.'

Dechreuodd Gwyn siarad eto. 'W'st ti, Lisa, mae neithiwr wedi gwneud i mi sylweddoli rhywbeth,' meddai. 'Dwi wedi bod yn dala 'mlaen i'r gobaith y byddet ti'n newid dy feddwl – ond dwi'n gwybod nawr nad yw hynny'n mynd i ddigwydd.'

'Na, ti'n iawn,' meddai Lisa'n dawel. 'Mae popeth drosodd rhyngon ni, mae'n flin gen i, Gwyn.'

'Dwi'n sylweddoli hynny nawr,' ochneidiodd Gwyn, 'ac ar ôl treulio'r noson yng nghwmni Llinos dwi'n teimlo y galla i symud 'mlaen . . .'

'O, felly?' meddai Lisa, gan ddechrau cymryd mwy o ddiddordeb. 'Y'ch chi wedi trefnu i weld eich gilydd eto?'

'Na, na, dim byd felly,' atebodd Gwyn yn bendant. 'Mae Llinos yn ferch hyfryd, ac yn gwmni da, ond dyw hi ddim fy nheip i. Fe sylweddolais neithiwr 'mod i'n dwp yn aros yn y tŷ bob nos ar ben fy hun. Dwi wedi derbyn o'r diwedd bod ein priodas ni ar ben.'

Llyncais yn galed. Dyna'r geiriau mwyaf trist i mi eu clywed erioed. Edrychais ar Alys a sylweddoli bod y dagrau'n llifo'n dawel i lawr ei hwyneb ac yn diferu ar ei chrys-T. Doedd hyn yn amlwg ddim yn rhywbeth y gallen ni ei sortio dros baned o siocled poeth a phlataid o fisgedi. Doedd dim ond un peth y gallai Alys ei wneud nawr . . .

Rhoddais bwniad ysgafn iddi yn ei chefn a dweud, 'Dos i mewn atyn nhw – mae angen i chi siarad.'

Am unwaith yn ei bywyd, wnaeth Alys ddim dadlau. Rhedodd i mewn i'r stafell fyw a thaflu'i hun ar y soffa rhwng ei mam a'i thad. Gwyliais yn dawel wrth i'r ddau ohonyn nhw roi cwtsh mawr iddi a sychu'i dagrau.

Cerddais ar flaenau 'nhraed at y drws cefn, a mynd i'r ardd i eistedd ar un o'r siglenni. Roedd yn bwysig 'mod i'n cadw allan o ffordd Alys am y tro – gan wybod y byddai, yn nes 'mlaen, yn falch iawn o 'ngweld i.

A bryd hynny fe fyddwn i yma iddi hi. Dyna beth mae ffrindiau gorau'n ei wneud, ontefe?

Pennod 23

Ro'n i yn yr ardd am oesoedd ar ben fy hun, yn hel meddyliau. O'r diwedd, clywais y drws cefn yn agor a cherddodd Alys mas. Roedd ei hwyneb yn welw a'i llygaid yn goch. Daeth draw i eistedd ar y siglen arall, a gwenu'n wan arna i.

'Diolch i ti am aros,' dywedodd.

'Dim problem,' atebais gan wenu.

Er na ddywedodd hi na fi air arall, ymhen ychydig funudau roedden ni wedi dechrau ar un o'r cystadlaethau roedden ni'n eu cael ambell dro, i weld pwy fyddai'r gyntaf i hedfan yn ddigon uchel ar y siglen nes gallu cyffwrdd canghennau'r hen goeden afalau â'n traed. Yr unig sŵn i'w glywed oedd gwichian cadwyni'r siglenni, a siffrwd y dail yn y goeden. Fel arfer, y fi sy'n ennill y gystadleuaeth – ond y tro hwn gadewais i Alys ennill, gan obeithio y byddai'n gwneud iddi deimlo'n well.

Ar ôl i'r ddwy ohonon ni gicio'r canghennau sawl gwaith, gadawson ni i'r siglenni arafu bob yn dipyn nes yn y diwedd doedden nhw prin yn symud o gwbl.

'Wel,' meddai Alys o'r diwedd, 'dwi'n credu y galla i ddweud yn onest bod y cynllun diweddara'n fethiant llwyr.'

'Pam hynny?' gofynnais, er 'mod i'n gwybod yn iawn.

'Y syniad oedd y bydden ni'n trefnu i Dad a Llinos fynd ar ddêt, er mwyn gwneud Mam yn genfigennus. Wedyn byddai hi'n cwympo mewn cariad eto gyda Dad, yn symud yn ôl yma i fyw, a byddai'r teulu Roberts yn byw'n hapus gyda'i gilydd am byth bythoedd. Yn lle hynny, wrth gwrs, mae Dad wedi derbyn na fydd e a Mam byth yn dod 'nôl at ei gilydd. Mae'r cyfan ar ben, a does 'run cynllun yn y byd yn mynd i newid y sefyllfa.'

'Mae'n wir flin gen i, Al,' dywedais, gan afael

yn ei braich. 'Dylwn i fod wedi rhoi stop ar y cynllun cyn i bethau fynd yn rhy bell . . .'

'Ie, reit,' chwarddodd Alys. 'Fel y dylet ti fod wedi fy rhwystro rhag cuddio o dan dy wely di dros wyliau'r hanner tymor? Neu roi stop ar y cynllun i rwystro Mam rhag gweld Caradog yng Nghaerdydd? Does dim bai o gwbl arnat ti, Meg fach. Unwaith mae 'na ryw syniad hanner call a dwl yn fy mhen, all neb fy mherswadio i newid fy meddwl!'

Gwenais wrth sylweddoli bod Alys yn ei hadnabod ei hun yn rhyfeddol o dda!

'Ond fe ddylwn i fod wedi gwneud mwy o ymdrech y tro hwn,' dywedais. 'Yn lle hynny, fe aeth pethau o ddrwg i waeth.'

'Na, dwi ddim yn credu,' meddai Alys. 'Doedd Mam a Dad byth yn mynd i ddod 'nôl at ei gilydd, ac mae hyd yn oed Dad yn sylweddoli hynny nawr. Does dim pwynt dala i obeithio am rywbeth na fydd byth yn digwydd. Peth twp fyddai hynny, fel plentyn bach yn dymuno bod pob dydd yn ddydd Nadolig.'

'Ro'n i'n arfer dymuno hynny erstalwm,' dywedais.

'A finnau hefyd,' meddai Alys. 'Ac yn gobeithio bob blwyddyn am ferlen yn anrheg –

ond roedd Dad yn casáu anifeiliaid, ac yn gwrthod gadael i mi gael pysgodyn aur, hyd yn oed!'

'Ac ro'n i wastad yn gobeithio y byddai Mam yn dweud rhyw ddiwrnod, "Megan, dwi wedi penderfynu peidio â bod mor ffysi ynghylch y bwyd ry'n ni'n ei fwyta. O hyn 'mlaen, yn lle bwyta sbigoglys ac uwd organig, ry'n ni'n mynd i gael bwyd têc-awê, bisgedi a losin"!'

'Ha ha!' chwarddodd Alys. 'Does fawr o obaith o hynny, nag oes? Ond weithiau, mae'n well wynebu'r gwirionedd o'r dechrau – mae'n haws felly!'

Roedd yn deimlad od – gweld fy ffrind gorau hanner call a dwl yn ymddwyn mor gall am unwaith!

Ond pharodd y teimlad ddim yn hir.

'Mae gen i syniad gwych,' meddai Alys yn sydyn. 'Beth am i ni feddwl am dric i'w chwarae ar Mirain Mai? Does ond ychydig wythnosau ar ôl o'r tymor, felly bydd raid iddo fod yn dric gwerth chweil.'

Gwenais yn fodlon. Doedd Alys Roberts byth yn mynd i ymddwyn yn gall. Fy ngwaith i oedd hynny!

Pennod 24

I ginio y diwrnod hwnnw, cafodd Llinos, Seren a fi y pizza gorau erioed! Bwytais bedwar darn anferth – nes teimlo bod fy mola'n mynd i fyrstio.

'Dyw Mam byth yn gadael i ni gael pizza,' cwynais wrth Llinos.

'Dwi'n gwybod,' atebodd hithau gan sychu saws tomato o gornel ei cheg. 'Dyna pam benderfynais i brynu un heddiw. Dwi'n falch dy fod wedi mwynhau.'

'Mae gan Mam obsesiwn am fwydydd iach,' ochneidiais. 'Trueni na allai hi fod yn debycach i ti, Llinos.'

'Dyw dy fam ddim ond yn gwneud beth sy orau i chi,' atebodd Llinos. 'Mae'n hawdd i mi –

dwi ddim yn eich gweld yn aml, felly galla i ymlacio a rhoi ambell drît i chi. Dyw dy fam ddim yn gallu gwneud hynny – arni hi mae'r cyfrifoldeb o'ch cadw chi'ch dwy'n iach.'

'Digon teg, ond beth faset ti'n wneud taset ti'n fam i mi?' holais.

''Run fath yn union â Hafwen, siŵr o fod,' chwarddodd Llinos. 'Dy lenwi di â bwyd iach nes dy fod yn gwichian!'

Roedd hynny'n gwneud i mi deimlo 'chydig yn well – falle nad oedd Mam yn gymaint o ffrîc wedi'r cwbl!

Y funud honno, clywais gloch y drws ffrynt yn canu.

'Fe a' i,' dywedais. 'Mae'n debyg taw Alys sy 'na.'

Pan agorais y drws, cefais sioc o weld nad Alys oedd yno, ond ei thad. Yn ei ddwylo roedd clamp o focs mawr a rhuban arno. Bu bron iawn i mi gau'r drws yn ei wyneb.

Pam oedd Gwyn yma?

Roedd e wedi dweud 'dyw hi ddim fy nheip i' am Llinos.

Oedd e wir yn meddwl y byddai ganddi hi ddiddordeb ynddo fe oherwydd ei fod wedi dod â chlamp o anrheg fawr iddi?

Er 'mod i'n teimlo trueni drosto, do'n i ddim yn awyddus i'w gael yn hongian o gwmpas y tŷ yn gwneud bywyd hyd yn oed yn fwy cymhleth i mi.

'Fe a' i i nôl Llinos,' dywedais.

'Na, paid, Meg,' brysiodd i ddweud. 'Wedi dod i dy weld di ydw i.'

Cymerais gam yn ôl. Pam yn y byd oedd ei eisiau fy ngweld i?

Oedd e'n credu taw fy syniad i oedd y 'dêt ramantus'?

Oedd e am ddweud wrtha i am gadw'n ddigon pell oddi wrth Alys o hyn 'mlaen?

Wrth i mi bendroni, estynnodd Gwyn y bocs i mi. 'I ti mae hwn,' meddai gan ei roi yn fy nwylo.

Sefais yn y cyntedd gan stryffaglu i ddal y bocs yn un llaw a thynnu'r rhuban â'r llaw arall. Yn ofalus, agorais y bocs a phipo i mewn. Yno, wedi'i lapio mewn papur tisw, roedd fas wydr – 'run fath yn union ag un Mam!

'Dwi'n gobeithio taw hon yw'r un iawn, Meg,' meddai Gwyn. 'Roedd Alys–'

Torrais ar ei draws ar unwaith. 'Ond nid Alys dorrodd fas Mam,' protestiais. 'Fi wnaeth!'

'Ie, wel falle taw ti oedd yn dal y botel siampên ar y pryd,' atebodd Gwyn, 'ond does dim angen athrylith i weithio mas taw syniad Alys oedd y cyfan!'

Roedd e'n iawn, wrth gwrs, ond ro'n i'n teimlo y dylwn i drio amddiffyn fy ffrind. 'Roedd y ddwy ohonon ni ar fai . . .' dechreuais.

'Paid â becso, Megan,' meddai Gwyn. 'Dyw Alys ddim mewn unrhyw drwbwl, felly does dim rhaid i ti ei hamddiffyn.'

'Alla i ddim ond diolch i chi am hon,' dywedais. 'Bydd yn llawer haws wynebu Mam a Dad pan gyrhaeddan nhw adre'n nes 'mlaen.'

'Croeso, bach, falch o helpu,' atebodd Gwyn. 'Nawr 'te, fe a' i â'r bocs a'r papur lapio mas o'r ffordd. Cymera di'r fas, a'i rhoi hi yn yr un lle'n union â'r hen un, a fydd dy fam ddim callach!'

Gafaelais yn ofalus yn y fas, a sylwi bod papur £20 yn dal yn y bocs. Waw! Estynnais yr arian i Gwyn, gan gymryd yn ganiataol ei fod wedi'i adael yno trwy gamgymeriad.

'I ti mae e, i ddweud diolch,' meddai. 'Cadwa fe i brynu rhyw drît bach i ti dy hun.'

Ugain punt! Caeais fy llygaid a meddwl beth allwn i ei brynu gyda'r arian, gan ddechrau gyda siocled poeth i Alys a fi yn ein hoff gaffi.

'Ond pam . . ?' dechreuais.

'Mae Alys druan wedi cael amser caled dros y

misoedd diwetha,' meddai Gwyn, 'ond rwyt ti wedi bod yn gefn iddi hi drwy'r cyfan. Dwi'n gwybod ei bod hi'n gallu bod yn dipyn o lond llaw weithie, ond rwyt ti wedi bod yn ffrind arbennig iawn iddi hi. Mae hi'n lwcus iawn ohonot ti. Diolch o galon, Meg fach.'

Do'n i ddim yn gwybod beth i'w ddweud. Dechreuodd fy llygaid lenwi â dagrau wrth i Gwyn fynd drwy'r drws. Gwnes fy ngorau glas i ddweud 'Hwyl – a diolch yn fawr!' ond yr unig beth ddaeth mas o 'ngheg i oedd rhyw sŵn rhyfedd.

Pennod 25

Bu Llinos a fi wrthi am oesoedd yn cuddio'r dystiolaeth o'r holl reolau oedd wedi cael eu torri yn ein tŷ ni dros y penwythnos.

Aethon ni i'r ganolfan ailgylchu i gael gwared â'r bocsys pizza, y poteli Coke gwag, a'r pacedi grawnfwyd roedden ni wedi'u mwynhau i frecwast. Ar ôl dod adre, aethon ni ati i gymoni pob modfedd o'r tŷ, a gosodais y fas newydd yn ofalus yn ei lle. Pan oedd popeth wedi'i wneud, aeth Llinos i chwilio am y rhestr o reolau roedd Mam wedi'i gadael, a'i rhoi'n ôl ar y bwrdd.

'Cofia di, Megan,' meddai Llinos, 'er dy les di a Seren mae dy fam yn gwneud y rheolau 'ma.'

'Felly pam roeddet ti'n fodlon i ni dorri pob un ohonyn nhw?' gofynnais.

'Mae'n dda cael newid bach bob hyn a hyn, on'd yw hi, a does neb fawr gwaeth!' atebodd Llinos gan wenu.

'Ymm, Llinos . . .' dechreuais, braidd yn nerfus, 'wyt ti'n bwriadu dweud wrth Mam am neithiwr – y cinio, a'r dêt gyda Gwyn ac ati?'

Ddywedodd Llinos 'run gair am sbel, ac ro'n i ar bigau'r drain.

'Ga i ofyn cwestiwn i ti?' meddai o'r diwedd. 'Wyt ti'n bwriadu dweud wrth dy fam bod gen i ffrind newydd ym Mangor?'

Ysgydwais fy mhen, a rhoddodd Llinos gwtsh i mi.

'Grêt,' meddai. 'Wnawn ni ddim rhannu cyfrinachau'n gilydd, felly!'

* * *

Hanner awr yn ddiweddarach, clywais sŵn car y tu allan i'r tŷ, ac o fewn eiliadau roedd Mam yn rhuthro i mewn fel tasai 'na haid o gŵn gwyllt yn rhedeg ar ei hôl hi.

Anelodd yn syth am Seren, a gafael mor dynn ynddi hi nes bod y ferch druan yn cael trafferth i anadlu. 'O, 'mabi bach i!' llefodd gan gusanu Seren sawl gwaith. 'Wyt ti wedi colli Mami a Dadi, cariad bach?'

Fedrwn i ddim peidio â gwenu wrth weld yr olygfa o 'mlaen. Ro'n i'n gwybod yn iawn nad oedd Seren wedi hiraethu o gwbl am Mam a Dad – roedd hi'n mwynhau ei hun ormod yn gwylio oriau o deledu, ac yn bwyta pethau nad oedd hi byth yn eu cael fel arfer.

O'r diwedd, gollyngodd Mam ei gafael ar Seren ac anelu amdana i. Diolch byth, ro'n i'n barod amdani, felly llwyddais i ddianc ar ôl dim ond un cwtsh a rhyw bedair neu bump o gusanau swnllyd!

'Sut benwythnos gest ti, Meg?' gofynnodd Mam. 'Wnest ti fihafio dy hun i Llinos?'

Edrychais ar Llinos, a theimlo fy wyneb yn cochi. Sylwodd Mam ddim.

'Doedd dim angen i ti fecso o gwbl, Hafwen,' meddai Llinos. 'Mae Megan yn ferch hyfryd, ac roedd hi fel angel drwy gydol y penwythnos!'

'Da iawn, dwi'n falch o glywed,' meddai Mam gan roi cwtsh arall i mi.

Ar hynny, daeth Dad i mewn yn cario llwythi

o offer gwersylla – digon, dwi'n siŵr, i gadw byddin gyfan i fynd am chwe mis neu fwy. Roedd ei wyneb yn welw a'i wallt yn seimllyd – ac edrychai fel petai heb gysgu winc drwy'r penwythnos.

'Haia, ferched,' dywedodd. 'Ble mae fy ngwely i? Dwi'n bwriadu mynd i mewn iddo fe ac aros yno am weddill y dydd!'

'Chest ti ddim llawer o gwsg ym Mhen Llŷn, felly?' chwarddodd Llinos.

'Paid â sôn,' atebodd Dad. 'Wyt ti wedi trio cysgu ar wely o gerrig erioed? Cred ti fi, dyw e ddim yn brofiad da. A dwi ddim wedi cael cawod ers i mi fynd o fan hyn!'

'Wel, dy fai di yw hynny,' meddai Mam yn siarp. 'Roedd 'na gawod ar y maes gwersylla . . .'

'Hy! Oedd – un gawod rhwng cannoedd o bobl,' meddai Dad, 'a mwy na hynny roedd y dŵr yn rhewllyd o oer! Ta beth, dwi wedi penderfynu – dwi byth bythoedd yn bwriadu mynd i wersylla eto. Yn fy oedran i dwi'n haeddu cael tipyn o gysur.'

'Wel,' meddai Mam, 'mae gen i newyddion i ti – dwi'n bwriadu mynd i'r Ŵyl bob blwyddyn o hyn 'mlaen. Dyna fydd fy nhrît blynyddol i!'

Roedd wyneb Dad yn bictiwr. 'Ond beth am y

plant?' holodd. 'Allwn ni ddim–'

Torrodd Llinos ar ei draws. 'Sdim angen i ti fecso am y plant,' meddai. 'Galla i ddod yma unrhyw bryd i'w carco nhw. Mae Megan a Seren yn edrych 'mlaen yn barod at y flwyddyn nesa!'

'Hwrê!' gwaeddodd Seren, a dechreuodd y ddwy ohonon ni ddawnsio o gwmpas y gegin. Sylwodd Mam ddim – roedd hi'n rhy brysur yn chwilota yn ei bag am rywbeth.

'Dwi wedi dod â 'chydig o bethe blasus i chi,' meddai. 'Nawr 'te, pwy fyddai'n hoffi un o'r rhain?' gofynnodd, gan estyn pecyn o ffyn bara organig.

Ochneidiais wrth sylweddoli bod yr hwyl a sbri gyda Llinos ar ben – tan y tro nesaf!

Roedd Mam yn awyddus i Llinos aros am swper, ond am ryw reswm doedd y cynnig o stiw ffacbys a sbigoglys organig ddim yn apelio ati hi.

'Diolch am y gwahoddiad, Hafwen, ond gwell i mi fynd – mae 'na daith bell o 'mlaen i, ac mae gen i drefniant . . .'

Wrth i Llinos siarad, winciodd arna i, a gwenais innau arni – heb ddweud gair.

Ac er gwaethaf cynllun hanner call a dwl Alys, roedd y penwythnos wedi bod yn grêt!

Pennod 26

Ychydig wythnosau'n ddiweddarach, meddyliodd Alys am gynllun cymhleth iawn i chwarae tric ar Mirain Mai. Roedd yn cynnwys nifer fawr o alwadau ffôn, cyfarfodydd cyfrinachol, bagiau o flawd, a balŵns llawn dŵr. Ar y cyfan, roedd e'n gynllun eitha da – ac ystyried taw Alys oedd wedi meddwl amdano – ond rhywsut neu'i gilydd chawson ni ddim amser i'w roi ar waith. Roedden ni wastad yn rhy brysur.

Erbyn hyn, roedd pawb yn teimlo'n gyffrous ynghylch symud ysgol, a'r rhan fwyaf o'r dosbarth yn bwriadu mynd i'r Ysgol Gyfun Gymraeg gyfagos. Gan fod Elen ac Ela'n ifanc iawn yn eu blwyddyn roedden nhw'n aros ym Mlwyddyn 6 am flwyddyn arall, ac roedd Mirain Mai'n mynd i ysgol breswyl grand yng Nghaerdydd.

Ar ddechrau'r flwyddyn, roedd hi wedi'n diflasu ni i gyd wrth sôn am ei hysgol newydd.

'Mae'r holl bobl enwog yn anfon eu plant yno,' roedd hi'n arfer dweud. 'Actorion, cantorion pop, gwleidyddion – pawb pwysig, mewn gwirionedd. Y pwynt yw, dim ond pobl arbennig sy'n gallu fforddio anfon eu plant yno gan fod y ffioedd mor uchel. Mae 'na bwll nofio hollol wych yno, a bydda i'n gallu'i ddefnyddio fe bob dydd ar ôl yr ysgol. Dwi mor falch 'mod i wedi cael gwersi nofio er pan o'n i'n dair oed. Wedyn, dros wyliau'r Pasg, mae pawb yn mynd ar daith gyfnewid i Ffrainc, ac . . .'

A dyna fel roedd hi, yn mynd 'mlaen a 'mlaen yn ddiddiwedd nes bod pawb wedi danto'n llwyr.

Ond nawr, a'r gwyliau haf yn agosáu, roedden ni'n clywed llai a llai gan Mirain Mai am ei hysgol newydd ffansi.

Alys oedd y gyntaf i sylwi, a soniodd am y peth yn ystod yr egwyl un bore. 'Oes rhywun wedi clywed Mirain Mai'n siarad am yr ysgol breswyl orau yng Nghymru'n ddiweddar?' holodd.

'Naddo!' atebodd Gwawr. 'Nawr dwi'n meddwl am y peth, dyw hi ddim wedi sôn gair am y lle ers *wythnosau*. Tybed pam?'

'Falle'i bod hi'n difaru dewis mynd i'r fath le,' awgrymodd Alys.

'Ond pam byddai hi'n gwneud hynny?' holodd Lois. 'Yn ôl yr hyn ddwedodd hi am y lle, mae e fel rhyw baradwys!'

'Wel,' meddai Alys, 'dwi ddim yn gwybod llawer amdani hi, ond dwi'n credu falle'i bod hi'n teimlo'n nerfus am fynd oddi cartre i rywle lle dyw hi ddim yn 'nabod neb. Falle y byddai'n well ganddi ddod i'r un ysgol â ni ym mis Medi . . .'

'Na, mae hynny'n annhebygol iawn,' dywedais i. 'Mae'n fwya tebyg ei bod hi'n teimlo ei bod hi'n rhy dda nawr i siarad gyda'r gweddill ohonon ni.'

Ond ro'n i'n anghywir . . .

Ychydig ddyddiau'n ddiweddarach, es i'r tŷ bach amser cinio a phwy oedd yn eistedd ar lawr yn beichio crio ond Mirain Mai. Er taw hi oedd fy ngelyn gwaethaf yn y byd i gyd, allwn i ddim troi cefn arni a cherdded bant.

'Beth sy'n bod?' gofynnais, gan fynd ar fy nghwrcwd wrth ei hochr.

Ddywedodd hi 'run gair am sbel, a doedd gen i ddim syniad beth i'w wneud. Ymhen hir a hwyr, cododd ei phen ac edrych arna i. Roedd ei hwyneb yn welw, a'i llygaid yn goch.

'Dwi mor ofnus,' sibrydodd.

'Pam?' holais, gan synnu bod rhywun hyderus fel Mirain Mai yn gallu teimlo fel hyn.

'Dwi ddim yn moyn mynd bant i'r ysgol breswyl,' atebodd, a'r dagrau'n llifo i lawr ei hwyneb.

Roedd ei hateb yn gwbl annisgwyl. Beth allwn i ei ddweud? Tasai Mirain Mai wedi 'ngweld i yn y fath gyflwr, byddai'n siŵr o redeg i ddweud wrth ei ffrindiau a chael hwyl fawr am fy mhen. Ond fedrwn i ddim gwneud hynny. Am y tro cyntaf erioed, ro'n i'n teimlo trueni drosti.

Eisteddais ar y llawr yn ei hymyl. Bron iawn i mi roi fy llaw ar ei hysgwydd, ond penderfynais beidio â mentro.

'Ond roeddet ti'n edrych 'mlaen gymaint,' dywedais, 'ac yn dweud wrth bawb dy fod wedi begian ar dy rieni i adael i ti fynd.'

'Dwi'n gwybod,' atebodd yn ddagreuol. 'Ond nawr dwi wedi newid fy meddwl, ac mae Mam a Dad yn dweud bod raid i mi fynd ta beth. Maen nhw wedi talu blaendal mawr, a threfnu'r cyfan, felly does gen i ddim dewis. Fe fydda i mor unig yno, ar ben fy hun, a phawb o'm ffrindiau'n cael amser da gyda'i gilydd.'

'Ond fe fyddi di'n gwneud ffrindiau newydd,' dywedais i geisio'i chysuro.

Do'n i ddim yn siŵr am hynny, chwaith. Er bod gan Mirain Mai rai ffrindiau yn ein dosbarth ni, roedd fel petai ganddi lai a llai bob blwyddyn. Ar un adeg, roedd Gwawr a Lois yn perthyn i'w chriw o ffrindiau, ond erbyn hyn doedden nhw ddim yn ei hoffi o gwbl. A falle, yn yr ysgol gyfun, y byddai merched eraill yn gallu gweld drwy'r dillad ffansi, y gwallt hyfryd a'r wyneb pert, a sylweddoli pa fath o berson oedd hi mewn gwirionedd.

Mae'n debyg fod 'na ffordd o ddweud wrth Mirain Mai y dylai hi fod yn fwy caredig wrth bobl, ond fedrwn i yn fy myw feddwl am y geiriau iawn. Yn lle hynny, codais ar fy nhraed a siarad â hi fel mae Mam yn ei wneud pan fydd Seren yn llefain ar ôl cwympo.

'Dere nawr,' dywedais. 'Pam na wnei di olchi dy wyneb cyn i neb arall ddod i mewn? Paid â becso cymaint – mae 'na amser hir tan fis Medi. Ac erbyn i ti weld y pwll nofio gwych, a'r cae hoci 3G, buan iawn y byddi di'n anghofio'r cyfan amdanon ni.'

Cododd Mirain Mai ar ei thraed yn araf, a thynnu brwsh o'i bag i dacluso'i gwallt.

Estynnais innau facyn papur o 'mhoced – ond petrusais cyn ei gynnig i Mirain. Fel arfer, byddai'n gwneud hwyl am fy mhen am ddefnyddio macyn o bapur wedi'i ailgylchu yn hytrach na macyn pinc, meddal. Am flynyddoedd, ro'n i wedi ceisio'i hosgoi rhag iddi ddweud pethau cas amdana i a 'nheulu. Ond roedd hon yn sefyllfa wahanol – a rhoddais y macyn papur yn ei llaw.

Dim ond am eiliad yr oedodd Mirain Mai cyn ei dderbyn a'i ddefnyddio i sychu'i llygaid. Aeth i molchi'i hwyneb, ac yna fy nilyn i allan o'r tai bach.

'Diolch i ti, Megan,' sibrydodd. 'Rwyt ti wedi bod yn garedig iawn.'

'Dim problem,' dywedais.

Dechreuodd gerddded yn araf yn ôl at ei ffrindiau. Wrth ddod yn nes atyn nhw cyflymodd ei chamau, ac ymhen dim roedd hi'n ymddwyn 'run mor hyderus ag arfer gan daflu'i gwallt yn ôl a gwenu fel petai ei bywyd hi'n berffaith.

Rhuthrais innau i chwilio am Alys, er mwyn dweud yr hanes wrthi hi.

'Hmm,' meddai ar ôl i mi orffen, 'mae'n edrych yn debyg fod Mirain Mai yn berson go iawn wedi'r cwbl!'

'Ydy – pwy fase'n meddwl, yntê?' dywedais, a dechreuodd y ddwy ohonon ni chwerthin.

Tawodd Alys yn sydyn a rhoi ei llaw dros ei cheg. 'Cofia di,' meddai, 'falle na ddylen ni chwerthin am ei phen. Mae'n swnio fel petai hi wedi ypsetio'n arw.'

'Oedd, roedd hi'n torri'i chalon,' dywedais mewn llais bach.

'A falle nad y hi sy ar fai am ei hymddygiad,' meddai Alys. 'Falle bod ei rhieni'n rhoi pwysau arni hi . . .'

'O diar,' dywedais, 'ydy hynny'n golygu bod raid i ni hoffi Mirain Mai o hyn 'mlaen?'

'Wel,' atebodd Alys, 'falle bod hynny'n mynd yn rhy bell . . . ond gallen ni gytuno i beidio â'i chasáu hi gymaint!'

'Iawn,' atebais gan wenu. 'Dere, gwell i ni fynd – does ond pum munud o amser cinio ar ôl, ac mae Miss Morgan wedi addo rhoi prawf mathemateg i ni.'

'O na!' llefodd Alys. 'Alla i ddim aros tan ddiwedd y tymor!'

Pennod 27

Ychydig wythnosau'n ddiweddarach, fe gawson ni seremoni i nodi diwedd ein cyfnod yn yr ysgol gynradd. Roedd e'n achlysur *gwych*!

Roedd y disgyblion i gyd yn y neuadd, ac wrth gwrs roedd ein rhieni a'n brodyr a chwiorydd iau wedi cael gwahoddiad i ddathlu gyda ni. Doedd dim rhaid i Flwyddyn 6 wisgo'u gwisg ysgol y diwrnod hwnnw, felly roedd Alys a fi'n teimlo'n smart iawn mewn jîns trendi a thop lliwgar.

Ond, fel arfer, roedd Mirain Mai wedi mynd dros ben llestri wrth ddewis gwisg.

''Drycha arni hi!' sibrydodd Alys. 'Mae'r ffrog

yna'n fwy addas ar gyfer parti gwisg ffansi na seremoni ffarwelio. Ble yn y byd brynodd hi rywbeth mor erchyll, tybed?'

'Mewn siop grand ym Mharis, siŵr o fod,' atebais yn sychlyd.

'O diar,' meddai Alys, 'ry'n ni wedi anghofio'n barod ein bod ni'n mynd i deimlo trueni drosti, nid gwneud hwyl am ei phen!'

Ochneidiais. Roedd yn anodd newid arfer oedd wedi para am bron i wyth mlynedd!

Ar hynny, aeth Mirain Mai heibio gan gerdded braidd yn sigledig ar ei hesgidiau sodlau uchel. Gwenais arni hi, a llwyddodd Alys i ddweud, 'Rwyt ti'n edrych yn grêt!' a hynny heb biffian chwerthin o gwbl.

Erbyn un ar ddeg o'r gloch, roedd y neuadd dan ei sang. Roedd plant bach yr Adran Feithrin yn eistedd ar y llawr yn y blaen, ac roedd lwmp yn fy ngwddw wrth feddwl bod Alys a fi – flynyddoedd lawer yn ôl – wedi gwneud yr un peth. Y flwyddyn nesaf, byddai Seren yn eistedd yn yr un man, a theimlwn yn drist na fyddwn i yno i'w gweld.

O'r diwedd, ar ôl i bawb dawelu, dechreuodd y Pennaeth siarad . . . a siarad . . . a siarad. Gorffennodd ei haraith hir a diflas trwy ddweud,

‘Galla i ddweud, a’m llaw ar fy nghalon, taw dyma’r Flwyddyn 6 orau sy wedi bod yn yr ysgol hon erioed. Ry’n ni’n falch iawn ohonoch chi, blant.’

Dechreuodd pawb guro dwylo a gweiddi ‘Hwrê!’ – gan esgus anghofio taw dyna union eiriau’r Pennaeth ym mhob seremoni ffarwelio ers blynyddoedd!

Pan eisteddodd y Pennaeth i lawr o’r diwedd, cafwyd sawl eitem gerddorol gan blant Blwyddyn 6, yn cynnwys y parti recorders. (Ro’n i’n eitha balch ’mod i wedi cael cyfle i ymarfer y darnau yn ystod ‘dêt ramantus’ Llinos a Gwyn!)

Ar ôl hynny, roedd yn rhaid i ni sefyll ar ein traed yn ein tro a dweud wrth bawb beth oedd ein ‘atgof arbennig’ ni o’r amser roedden ni wedi’i dreulio yn yr ysgol. Soniodd y rhan fwya o’r bechgyn am y pethau ych a fi – rhywun yn chwydu ar y bws, neu’n methu cyrraedd y tŷ bach mewn pryd. Diolch byth, soniodd neb yn benodol am y daith drychinebus i’r Parc Bywyd Gwyllt!

‘Atgof arbennig’ Alys oedd bwrw tair jar o baent dros bob man pan oedden ni ym Mlwyddyn 1, a dywedodd wrth bawb ’mod i wedi aros gyda hi drwy’r amser cinio i’w helpu i glirio'r llanast. Er nad o'n i'n cofio'r diwrnod o gwbl, ro'n i'n hapus iawn ei bod wedi sôn am 'atgof arbennig' oedd yn fy nghynnwys i.

Pan ddaeth fy nhro i i sefyll ar fy nhraed, soniais am rywbeth llawer mwy diweddar – dywedais mor hapus ro'n i'n teimlo ar ddiwrnod cyntaf Alys yn ein hysgol ni ar ôl iddi dreulio misoedd yn byw yng Nghaerdydd.

Yr eitem olaf y pnawn hwnnw oedd côr Blwyddyn 6 yn canu cân a gyfansoddwyd yn arbennig ar gyfer yr achlysur gan Miss Morgan a Miss Wyn, sy'n gyfrifol am y gwersi cerdd. 'Ffrindiau' oedd teitl y gân, ac wrth i ni forio canu ar y llwyfan gafaelodd Alys yn fy llaw a'i gwasgu'n galed.

Erbyn i ni ganu'r cytgan am tua'r canfed tro, prin bod yr un llygad sych ar y llwyfan nac yn y gynulleidfa. Er bod y bechgyn yn esgus bod yn ddewr wrth gerdded oddi ar y llwyfan, roedd ambell un o'r merched – yn cynnwys Mirain Mai – yn torri'u calonnau. Aeth Alys ati a rhoi clamp o gwtsh iddi. Cafodd hithau gymaint o sioc nes stopio llefain ar unwaith!

Roedd 'na de parti bach i bawb ar y diwedd, cyn i Flwyddyn 6 ddod at ei gilydd ar gyfer rhan ola'r dathliad, sef sesiwn Bowlio 10 a thrip i'r sinema. Aeth Alys a fi draw at ein rhieni i ddweud hwyl fawr.

'Ry'n ni'n mynd nawr, Mam,' dywedais. 'Mae'r bws yn gadael mewn cwpwl o funudau.'

Gafaelodd ynof i a 'ngwasgu'n galed. Byddai rhywun yn meddwl 'mod i ar fin mynd i Awstralia yn hytrach nag i'r Bowlio 10 bum munud i ffwrdd!

'O fy merch fach i,' llefodd, a'r dagrau'n rhedeg i lawr ei hwyneb, 'i ble mae'r holl flynyddoedd wedi mynd? Mae'n teimlo fel ddoe pan o'n i'n dod â ti yma ar dy ddiwrnod cyntaf!'

Diolch byth, gwthiodd Seren ei hun rhwng Mam a fi gan ddweud, '*Fi* yw dy ferch fach di nawr – mae Meg yn ferch fawr!'

Gollyngodd Mam fi o'r diwedd, jest cyn i Miss Morgan ddod draw aton ni.

'Pnawn da, Mr a Mrs Huws. Mae'n braf eich gweld chi. Dwi'n siŵr eich bod chi'n falch iawn o Megan – mae hi'n ferch hyfryd, ac wedi gweithio'n galed drwy'r flwyddyn.'

Wel, wrth gwrs, roedd hynna'n ddigon i wneud i Mam ddechrau llefain eto! Diolch byth, achubodd Dad y dydd trwy roi ei fraich amdani a dweud, 'Dere nawr, Hafwen fach, mae hwn i fod yn ddiwrnod hapus! Awn ni adre i gael paned o de llysieuol a darn o gacen foron, ife?' Trodd ata i a dweud, 'Joia dy hun heno, Meg fach – welwn ni di'n nes 'mlaen.'

Ac i ffwrdd â nhw fraich ym mraich, a Seren yn rhedeg yn hapus ar eu holau.

Aeth Alys a fi i ffarwelio â'i rhieni hithau. Roedden nhw'n sefyll mewn cornel yn trafod ble fyddai Alys a Jac yn aros y noson honno. Rhoddodd y ddau ohonyn nhw gwtsh i Alys, cyn gwahanu a cherdded i ffwrdd i gyfeiriadau gwahanol, fel tasen nhw ddim yn nabod ei gilydd o gwbl. Yn sydyn, do'n i ddim yn teimlo cywilydd o'm rhieni i – roedd gwylio Gwyn a Lisa'n waeth o lawer.

Safodd Alys a fi yn ein hunfan yn gwylio'r ddau'n mynd i'w gwahanol ffyrdd.

'Wyt ti'n iawn?' gofynnais iddi.

'Ydw,' atebodd Alys. 'Dyw bywyd ddim yn berffaith, ond o'r diwedd dwi wedi derbyn taw fel'na mae pethau'n mynd i fod o hyn allan.'

'Wyt ti'n siŵr o hynny, Al?' gofynnais gan wenu. 'Rwyt ti wedi dweud hynny sawl gwaith o'r blaen, cofia!'

'Dim ond *dweud* hynny o'n i bryd hynny, gan obeithio taswn i'n ei ddweud yn ddigon aml y byddwn i'n ei gredu yn y diwedd. Ro'n i wastad wedi gobeithio'n dawel bach y byddai Mam a Dad yn mynd 'nôl at ei gilydd, ond . . .'

'A nawr?' holais.

'Nawr,' atebodd Alys yn dawel, 'dwi'n sylweddoli bod popeth ar ben rhwng y ddau. A dwi'n barod i symud 'mlaen.'

Rhoddais glamp o gwtsh iddi. Am y tro cyntaf erioed, ro'n i'n ei chredu hi.

'Dwi mor, mor falch o glywed hynna,' dywedais. 'Dim mwy o feddwl am gynlluniau hanner call a dwl?'

'Wel,' atebodd Alys, 'dwi ddim ond yn addo 'mod i wedi derbyn y sefyllfa rhwng Mam a Dad. Dwi ddim yn addo unrhyw beth arall! Cofia di, fe fyddai bywyd yn ddiflas iawn heb fod gen ti a fi un neu ddau o gynlluniau cyfrinachol ar y gweill!'

'Gawn ni weld am hynny!' dywedais dan chwerthin.

'Dere,' meddai Alys gan afael yn fy mraich, 'neu byddwn ni'n colli'r bws.'

Trois yn ôl i edrych ar fy hen ysgol a chodi llaw i ffarwelio â hi am byth bythoedd, cyn rhedeg ar ôl fy ffrind gorau yn y byd i gyd yn grwn.

Judi Curtin
addasiad gan
Eleri Huws
ALYS
DRWS NESA
nŵdls

Cyfres Alys:

Alys Drws Nesa

Y llyfr cyntaf yn y gyfres 'Alys a Megan'

Mae ffrindiau gorau I FOD gyda'i gilydd, on'd ŷn nhw?

Megan druan! Nid yn unig mae hi'n gorfod dioddef byw gyda'r rhieni lleiaf cŵl yn Aberystwyth, a'i chwaer fach, Seren, sy'n cael y sylw gan bawb – ond nawr mae Alys, ei ffrind gorau, wedi symud i fyw i Gaerdydd. Rhaid i Megan fynd yn ôl i'r ysgol a wynebu Mirain Mai, ei gelyn pennaf, ar ei phen ei hun. Mae Alys yn meddwl am gynllun cyfrwys allai ddod â Megan a hithau'n ôl at ei gilydd. Ond a wnaiff eu cyfrinach weithio, tybed?

Mae JUDI CURTIN yn ffefryn ymysg darllenwyr ifanc yn Iwerddon.

DARLUNIAU'R CLAWR: NICOLA COLTON
DARLUNIAU MEWNOL: WOODY FOX

Judi Curtin
addasiad gan
Eleri Huws
Caffi Clyd
ALYS ETO
TOCYN SINEMA
I PLENTYN
5102847
5102847
Dyddiadur

Alys Eto

Yr ail lyfr yn y gyfres 'Alys a Megan'
TOCYN SINEMA
Mae Megan yn edrych ymlaen at fynd i aros gydag Alys, ei ffrind gorau, yng Nghaerdydd, gan freuddwydio am wyliau bach tawel yn mynd i'r sinema, siopa ac ymlacio. Ond dyw pethau ddim mor hawdd â hynny! Yn ôl Alys, mae gan ei mam gariad newydd ac mae hi'n benderfynol o gael gwared ag e. Sut? Wel, trwy fod y ferch fwyaf atgas welodd neb erioed!
Pa mor ddrwg all Alys fod? Ac a fydd Megan yn gallu ei dioddef?
Mae JUDI CURTIN yn ffefryn ymysg darllenwyr ifanc yn Iwerddon.
DARLUNIAU'R CLAWR: NICOLA COLTON
DARLUNIAU MEWNOL: WOODY FOX